LETTURE PER LA SCUOLA MEDIA

72.

ISBN 88-286-0008-X

Edizioni:
  4 5 6 7 8 9 10 11 12 13
  1990 1991 1992 1993 1994

Stampato in Italia - Printed in Italy

FIABE ITALIANE

Raccolte e trascritte da Italo Calvino

I.
Italia settentrionale

A cura di Ersilia Zamponi

Giulio Einaudi editore
per la scuola

Questo libro è una scelta di trenta fiabe dell'Italia settentrionale, raccolte dalla tradizione popolare durante gli ultimi cento anni e trascritte da Italo Calvino[1]. *L'opera integrale è stata pubblicata nel 1956 e comprende duecento fiabe italiane; l'edizione scolastica è nata per offrire ai ragazzi un libro di agevole lettura e di sicuro valore culturale, che si possa leggere per puro divertimento e anche usare per l'educazione linguistica.*

L'autore, Italo Calvino (1923-1985), è un grande protagonista della letteratura italiana contemporanea; la sua narrativa presenta temi molteplici in cui convivono realtà e fantasia, gioco intellettuale e avventura, ironia e pessimismo. Tra le sue opere, oltre le Fiabe italiane, *ricordiamo:* Il sentiero dei nidi di ragno; Il visconte dimezzato; Il barone rampante; Il cavaliere inesistente; La giornata d'uno scrutatore; Marcovaldo; Le cosmicomiche; Le città invisibili; Palomar. *Alcuni di questi libri, in particolare* Marcovaldo, *sono diventati dei classici della letteratura per ragazzi; anche le* Fiabe italiane *sono accessibili ai più giovani lettori, pur non avendo – come tutte le fiabe popolari – una destinazione d'età.*

Le fiabe di Calvino piacciono ai piccoli e ai grandi; sono un capolavoro della letteratura, che affonda le sue radici

---

1. Sono usciti, in questa stessa collana, altri due volumi, ciascuno dei quali contiene trenta fiabe di Calvino: rispettivamente le fiabe dell'Italia centrale, e dell'Italia meridionale e insulare.

nella tradizione popolare. Calvino ne è l'autore in quanto ha organizzato, rielaborato e trascritto il meglio dell'immenso patrimonio fiabistico del folclore italiano, che gli studiosi avevano raccolto dalla viva voce del popolo. Prima di Calvino, l'Italia non aveva una raccolta nazionale di fiabe popolari in lingua; esistevano solo pubblicazioni regionali, quasi sempre in dialetto, frutto delle ricerche compiute dai folcloristi per documentare la narrativa orale del nostro paese. Calvino ha svolto un lavoro delicato e complesso, che egli descrive nell'Introduzione alle Fiabe italiane: «*scegliere da questa montagna di narrazioni... le versioni piú belle, originali e rare; tradurle dai dialetti in cui erano state raccolte...; arricchire sulla scorta delle varianti la versione scelta, quando si può farlo..., in modo da renderla piú piena e articolata possibile; integrare con una mano leggera d'invenzione i punti che paiono elisi o smozzicati; tener tutto sul piano d'un italiano mai troppo personale e mai troppo sbiadito, che... sia elastico abbastanza per accogliere e incorporare dal dialetto le immagini, i giri di frase piú espressivi e inconsueti*».

Il risultato è un'opera che non ha precedenti nella letteratura italiana; e che si può paragonare soltanto a capolavori di altri paesi europei, come le Fiabe *dei fratelli tedeschi Jacob e Wilhelm Grimm (vissuti nella prima metà del secolo scorso) o le* Antiche fiabe russe *di Aleksandr Afanasjev (1826-1871). Altre raccolte europee di cosí ampio respiro sono le* Storie o racconti del tempo che fu *(o* I racconti di Mamma l'Oca) *dello scrittore francese Charles Perrault (1628-1703), il quale ha dato al materiale narrativo popolare una forma preziosa ed elegante secondo la moda del secolo; e le* Fiabe *del danese Hans Christian Andersen (1805-1875), che si distacca ancor di piú dalla tradizione orale, per creare dei racconti fantastici in cui dà voce alla propria memoria piú che a quella del suo popolo.*

Con Andersen nasce la fiaba contemporanea, o fiaba

*d'autore. Essa differisce dalla fiaba classica popolare so-
prattutto per la sua destinazione piú precisa all'infanzia;
e per l'estrema libertà con cui rappresenta i temi e le figure
tradizionali, accogliendo elementi legati alla personalità
dell'autore e al gioco della sua immaginazione. Le fiabe di
Calvino restano invece nel solco della tradizione popolare;
l'arte del grande scrittore si manifesta nella perfezione dello stile che valorizza i pregi delle fonti.*

*Le fiabe raccolte nel suo libro vengono dette «italiane»,
non perché siano esclusive e originarie dell'Italia, ma semplicemente perché fanno parte del nostro folclore narrativo. «Le fiabe, si sa, sono uguali dappertutto, – scrive
Calvino. – Dire "di dove" una fiaba sia non ha molto
senso». Cosí pure il nome di località o regione, scritto tra
parentesi in calce ad ogni fiaba del volume, non indica il
luogo specifico di pertinenza della fiaba; ma la provenien-
za della versione che l'autore ha tenuto maggiormente presente, perché gli è parsa la migliore e «quella che, messe le
sue radici in un terreno, ne ha tratto piú succo».*

*Nella raccolta di Calvino sono rappresentate quasi tutte
le regioni italiane[1], e i principali tipi di fiaba di cui è do-
cumentata l'esistenza nei nostri dialetti. Vi si trovano anche, qua e là, dei testi che non sono propriamente fiabe
(cioè racconti di magia); sono leggende, novelle, favole,
aneddoti: componimenti narrativi popolari di vario genere, che Calvino ha inserito nella sua raccolta perché parti-
colarmente belli e singolari[2].*

---

1. Anche la nostra scelta rispetta questa varietà di presenze.
2. Nelle note finali alle fiabe (pp. 159-66) queste differenze vengono
specificate.

FIABE ITALIANE

I.
Italia settentrionale

Giovannin senza paura

C'era una volta un ragazzetto chiamato Giovannin senza paura, perché non aveva paura di niente. Girava per il mondo e capitò a una locanda a chiedere alloggio.
– Qui posto non ce n'è, – disse il padrone, – ma se non hai paura ti mando in un palazzo.
– Perché dovrei aver paura?
– Perché *ci si sente*[1] e nessuno ne è potuto uscire altro che morto. La mattina ci va la Compagnia[2] con la bara a prendere chi ha avuto il coraggio di passarci la notte.

Figuratevi Giovannino! Si portò un lume, una bottiglia e una salciccia, e andò.

A mezzanotte mangiava seduto a tavola, quando dalla cappa del camino sentí una voce: – Butto?

E Giovannino rispose: – E butta!

Dal camino cascò giú una gamba d'uomo. Giovannino bevve un bicchier di vino.

Poi la voce disse ancora: – Butto?

E Giovannino: – E butta! – e venne giú un'altra gamba. Giovannino addentò la salciccia.

– Butto?

– E butta! – e viene giú un braccio. Giovannino si mise a fischiettare.

---

1. Si sentono strani rumori, ci sono i fantasmi.
2. Confraternita, associazione religiosa di fedeli impegnati a esercitare opere di misericordia.

– Butto?

– E butta! – un altro braccio.

– Butto?

– Butta!

E cascò un busto che si riappiccicò alle gambe e alle braccia, e restò un uomo in piedi senza testa.

– Butto?

– Butta!

Cascò la testa e saltò in cima al busto. Era un omone gigantesco, e Giovannino alzò il bicchiere e disse:
– Alla salute!

L'omone disse: – Piglia il lume e vieni.

Giovannino prese il lume ma non si mosse.

– Passa avanti! – disse l'uomo.

– Passa tu, – disse Giovannino.

– Tu! – disse l'uomo.

– Tu! – disse Giovannino.

Allora l'uomo passò lui e una stanza dopo l'altra traversò il palazzo, con Giovannino dietro che faceva lume. In un sottoscala c'era una porticina.

– Apri! – disse l'uomo a Giovannino.

E Giovannino: – Apri tu!

E l'uomo aperse con una spallata. C'era una scaletta a chiocciola.

– Scendi, – disse l'uomo.

– Scendi prima tu, – disse Giovannino.

Scesero in un sotterraneo, e l'uomo indicò una lastra in terra. – Alzala!

– Alzala tu! – disse Giovannino, e l'uomo la sollevò come fosse stata una pietruzza.

Sotto c'erano tre marmitte d'oro. – Portale su! – disse l'uomo.

– Portale su tu! – disse Giovannino. E l'uomo se le portò su una per volta.

Quando furono di nuovo nella sala del camino, l'uomo disse: – Giovannino, l'incanto è rotto! – Gli si

4

staccò una gamba e scalciò via, su per il camino. – Di queste marmitte una è per te, – e gli si staccò un braccio e s'arrampicò per il camino. – Un'altra è per la Compagnia che ti verrà a prendere credendoti morto, – e gli si staccò anche l'altro braccio e inseguí il primo. – La terza è per il primo povero che passa, – gli si staccò l'altra gamba e rimase seduto per terra. – Il palazzo tientelo pure tu, – e gli si staccò il busto e rimase solo la testa posata in terra. – Perché dei padroni di questo palazzo, è perduta per sempre ormai la stirpe, – e la testa si sollevò e salí per la cappa del camino.

Appena schiarí il cielo, si sentí un canto: *Miserere mei, miserere mei*, ed era la Compagnia con la bara che veniva a prendere Giovannino morto. E lo vedono alla finestra che fumava la pipa.

Giovannin senza paura con quelle monete d'oro fu ricco e abitò felice nel palazzo. Finché un giorno non gli successe che, voltandosi, vide la sua ombra e se ne spaventò tanto che morí.

2.

L'uomo verde d'alghe

Un Re fece fare la grida nelle piazze che a chi gli avesse riportato la sua figlia sparita gli avrebbe dato una fortuna. Ma la grida non aveva effetto perché nessuno sapeva dove poteva esser andata a finire questa ragazza: l'avevano rapita una notte e non c'era posto sulla terra che non avessero frugato per cercarla.

A un capitano di lungo corso[1] venne l'idea che se non si trovava in terra si poteva trovare in mare, e armò una nave apposta per partire alla ricerca. Ma quando volle ingaggiare l'equipaggio, non trovava marinai: perché nessuno aveva voglia di partire per un viaggio pericoloso, che non si sapeva quando sarebbe finito.

Il capitano era sul molo e aspettava, e nessuno s'avvicinava alla sua nave, nessuno osava salire per il primo. Sul molo c'era anche Baciccin Tribordo che era conosciuto come un vagabondo e un uomo da bicchieri[2], e nessuno lo prendeva sulle navi. – Di', ci vuoi venire tu, sulla mia nave? – gli fece il capitano.

– Io sí che voglio.

– Allora sali, – e Baciccin Tribordo salí per primo. Cosí anche gli altri si fecero coraggio e salirono a bordo.

Sulla nave Baciccin Tribordo se ne stava sempre con le mani in tasca a rimpiangere le osterie, e tutti bronto-

1. Comandante di una nave mercantile.
2. Beone, ubriacone.

lavano contro di lui, perché il viaggio non si sapeva quando sarebbe finito, i viveri erano scarsi e dovevano tenere a bordo un fa-niente come lui. Il capitano decise di sbarazzarsene. – Vedi quell'isolotto? – gli disse, indicandogli uno scoglio isolato in mezzo al mare. – Scendi nella scialuppa e va' a esplorarlo. Noi incrociamo[3] qui intorno.

Baciccin Tribordo scese nella scialuppa e la nave andò via a tutte vele e lo lasciò solo in mezzo al mare. Baciccin s'avvicinò allo scoglio. Nello scoglio c'era una caverna e lui entrò. In fondo alla caverna c'era legata una bellissima ragazza, ed era la figlia del Re. – Come avete fatto a trovarmi? – disse a Baciccin Tribordo.

– Andavo a pesca di polpi, – disse Baciccin.

– È un polpo enorme che m'ha rapita e mi tiene prigioniera, – disse la figlia del Re. – Fuggite, prima che arrivi! Ma dovete sapere, che questo polpo per tre ore al giorno si trasforma in triglia, e allora è facile pescarla, ma bisogna ammazzarla subito perché altrimenti si trasforma in gabbiano e vola via.

Baciccin Tribordo si nascose sullo scoglio, lui e la barca. Dal mare uscí il polpo, ed era enorme e con ogni branca poteva fare il giro dell'isola, e s'agitava con tutte le sue ventose, perché aveva sentito che c'era un uomo sullo scoglio. Ma venne l'ora in cui doveva trasformarsi in pesce e tutt'a un tratto diventò triglia e sparí in mare. Allora Baciccin Tribordo gettò le reti e ogni volta che le tirava c'eran dentro muggini, storioni, dentici e alla fine apparve, tutta sussultante, anche la triglia. Baciccin levò subito il remo per darle un colpo da ammazzarla, ma invece della triglia colpí il gabbiano che s'era levato a volo dalla rete, e la triglia non c'era piú. Il gabbiano non poteva volare perché il remo gli

3. Nel linguaggio marinaresco «incrociare» significa navigare in un tratto di mare, percorrendolo in tutte le direzioni.

aveva rotto un'ala, allora si ritrasformò in polpo, ma aveva le branche tutte piene di ferite e buttava fuori un sangue nero. Baciccin gli fu sopra e lo finí a colpi di remo. La figlia del Re gli diede un anello col diamante in in segno di perpetua gratitudine.

– Vieni, che ti porto da tuo padre, – disse lui, e la fece salire nella barca. Ma la barca era piccola, ed erano in mezzo al mare. Remarono, remarono, e videro lontano un bastimento. Baciccin alzò in cima a un remo la veste della figlia del Re. Dalla nave li videro e li presero a bordo. Era la stessa nave da cui Baciccin era stato abbandonato. A vederlo tornare con la figlia del Re il capitano cominciò a dire: – O povero Baciccin Tribordo! E noi che ti credevamo perduto, t'abbiamo tanto cercato! E tu hai trovato la figlia del Re! Beviamo, festeggiamo la tua vittoria! – A Baciccin Tribordo non sembrava vero, tanto tempo era rimasto senza assaggiare un goccio di vino.

Erano già quasi in vista del porto da cui erano partiti. Il capitano fece bere Baciccin, e lui bevve, bevve fino a che non cascò giú ubriaco morto. Allora il capitano disse alla figlia del Re: – Non direte mica a vostro padre che chi v'ha liberato è quell'ubriacone! Dovete dirgli che vi ho liberato io, perché io sono il capitano della nave, e quello là è un mio uomo che ho comandato io di fare quel che ha fatto.

La figlia del Re non disse né sí né no. – So io quel che dirò, – rispondeva. E il capitano allora pensò di farla finita una volta per tutte con Baciccin Tribordo. Quella stessa notte lo presero, ubriaco com'era e lo buttarono in mare. All'alba il bastimento arrivò in vista del porto; fecero segnali con le bandiere che portavano la figlia del Re sana e salva, e sul molo c'era la banda che suonava e il Re con tutta la Corte.

Furono fissate le nozze della figlia del Re col capitano. Il giorno delle nozze nel porto i marinai vedono

8

uscire dall'acqua un uomo coperto d'alghe verdi dalla testa ai piedi, con pesci e granchiolini che gli uscivano dalle tasche e dagli strappi del vestito. Era Baciccin Tribordo. Sale a riva, e tutto parato d'alghe che gli coprono la testa e il corpo e strascicano per terra, cammina per la città. Proprio in quel momento avanzava il corteo nuziale, e si trova davanti l'uomo verde d'alghe. Il corteo si ferma. – Chi è costui? – chiede il Re. – Arrestatelo! – S'avanzano le guardie, ma Baciccin Tribordo alzò una mano e il diamante dell'anello scintillò al sole.

– L'anello di mia figlia! – disse il Re.

– Sí, è questo il mio salvatore, – disse la figlia, – è questo il mio sposo.

Baciccin Tribordo raccontò la sua storia; il capitano fu arrestato. Verde d'alghe com'era si mise vicino alla sposa vestita di bianco e fu unito a lei in matrimonio.

(Riviera ligure di ponente).

3

Corpo-senza-l'anima

C'era una vedova con un figlio che si chiamava Giuanin. A tredici anni voleva andarsene per il mondo a far
fortuna. Gli disse sua madre: – Cosa vuoi andare a fare per il mondo? Non vedi che sei ancora piccolo?
Quando sarai capace di buttar giú quel pino che è dietro casa nostra con un colpo di piede, allora partirai.

Da quel giorno, tutte le mattine, appena alzato,
Giuanin prendeva la rincorsa e saltava a piè pari contro
il tronco del pino. Il pino non si spostava e lui cadeva
in terra lungo disteso. Si rialzava, si scrollava la terra di
dosso, e si ritirava nel suo cantuccio.

Finalmente un bel mattino saltò contro l'albero con
tutte le sue forze e l'albero s'inchinò, s'inchinò, le radici uscirono dalla terra e s'abbatté sradicato. Giuanin
corse da sua madre, che venne a vedere, controllò ben
bene, e disse: – Ora, figlio mio, tu puoi andare dove
vuoi –. Giuanin la salutò e si mise in marcia.

Dopo giorni e giorni di cammino arrivò a una città. Il
Re di quella città aveva un cavallo che si chiamava
Rondello, che nessuno era capace di cavalcare. Tutti
quelli che ci provavano, nel primo momento pareva che
ci riuscissero, poi li buttava tutti giú. Giuanin stette un
po' lí a vedere, e s'accorse che il cavallo si metteva paura della sua ombra. Allora s'offerse lui, di domare Rondello. Gli andò vicino nella stalla, lo chiamò, lo carez-
zò, poi tutt'a un tratto gli saltò in sella e lo portò fuori
tenendogli il muso contro il sole. Il cavallo non vedeva

l'ombra e non si spaventava: Giuanin lo strinse coi ginocchi, tirò la briglia e partí al galoppo. Dopo un quarto d'ora era domato, ubbidiente come un agnellino; ma non si lasciava montare da nessun altro che da Giuanin.

Da quel giorno il Re prese Giuanin a suo servizio, e gli voleva tanto bene che gli altri servitori cominciarono a rodersi d'invidia. E si misero a pensare come potevano sbarazzarsi di lui.

Bisogna sapere che quel Re aveva una figlia, e che questa figlia anni prima era stata rapita dal Mago Corpo-senza-l'anima e nessuno ne sapeva piú niente. I servitori andarono a dire al Re che Giuanin s'era vantato pubblicamente d'andarla a liberare. Il Re lo mandò a chiamare; Giuanin cascava dalle nuvole e gli disse che non ne sapeva niente. Ma il Re che al solo pensiero che si volesse scherzare su quell'argomento perdeva il lume degli occhi, gli disse: – O me la liberi, o ti faccio tagliare la testa!

Giuanin, visto che non c'era modo di fargli intendere ragione, si fece dare una spada arrugginita che tenevano appesa al muro, sellò Rondello e partí. Traversando un bosco, vide un leone che gli fece segno di fermarsi. Giuanin aveva un po' paura del leone, ma gli rincresceva di fuggire, cosí scese di sella e gli domandò cosa voleva.

– Giuanin, – disse il leone, – vedi che siamo qui in quattro: io, un cane, un'aquila e una formica: abbiamo questo asino morto da spartirci; tu hai la spada, fai le parti e assegnane una a ciascuno! – Giuanin tagliò la testa dell'asino e la diede alla formica: – Tieni: questa ti servirà da tana e dentro troverai da mangiare finché vorrai –. Poi tagliò le zampe e le diede al cane: – Qui tu hai da rosicchiare finché vuoi! – Tagliò fuori le budella e le diede all'aquila: – Questo è cibo per te, e puoi anche portartelo in cima agli alberi dove ti poserai! – Tutto il resto lo diede al leone che era il piú grosso dei quattro e gli spettava. Risalí a cavallo e stava già per ripartire quando si sentí chiamare. «Ahi, – pensò, – non avrò fatto le parti giuste!» Ma il leone gli disse: – Sei stato un buon giudice e ci hai servito bene. Cosa possiamo darti in segno di riconoscenza? Ecco una delle mie grinfie[1]; quando te la metterai diventerai il leone piú feroce che ci sia al mondo –. E il cane: – Ecco uno dei miei baffi, quando lo metterai sotto il naso diventerai il cane piú veloce che si sia mai visto –. E l'aquila: – Ecco una penna delle mie ali; potrai diventare l'aquila piú grande e forte che voli nel cielo –. E la formica: – E io, io ti do una delle mie gambine, e quando tu te la metterai diventerai una formichina, ma cosí piccina, cosí piccina che non si potrà vederla neanche con la lente.

Giuanin prese tutti i regali, disse grazie ai quattro animali, e partí. Alle virtú di quei regali non sapeva ancora se crederci o non crederci, perché poteva darsi che l'avessero preso in giro. Ma appena fu lontano dalla loro vista si fermò, e fece la prova. Diventò leone cane aquila formica e poi formica aquila cane leone e poi aquila formica leone cane e poi cane formica leone aquila e fu sicuro che funzionavano bene. Tutto contento riprese il cammino.

Finito un bosco c'era un lago e sul lago un castello. Era il castello del Mago Corpo-senza-l'anima. Giuanin si trasformò in aquila e volò fino al davanzale d'una finestra chiusa. Poi si trasformò in formica e penetrò nella stanza attraverso una fessura. Era una bella camera e sotto un baldacchino dormiva la figlia del Re. Giuanin, sempre formica, andò a passeggiarle su una guancia finché si svegliò. Allora Giuanin si tolse la zampina

1. Artigli.

di formica e la figlia del Re si vide tutt'a un tratto un bel giovane vicino.

– Non aver paura! – egli disse facendole cenno di tacere, – sono venuto a liberarti! Bisogna che ti fai dire dal Mago come si fa per ammazzarlo.

Quando il Mago tornò, Giuanin ridiventò formica. La figlia del Re accolse il Mago con mille moine, lo fece sedere ai suoi piedi, gli fece posare la testa sulle sue ginocchia. E prese a dirgli: – Mago mio caro, io so che tu sei un corpo senza l'anima e quindi non puoi morire. Ma ho sempre paura che si scopra dove hai l'anima e ti si riesca a uccidere, così sto in pena.

Allora il Mago le rispose: – A te posso dirlo, tanto tu stai chiusa qui dentro e non mi puoi tradire. Per uccidermi ci vorrebbe un leone tanto forte da ammazzare il leone nero che è nel bosco; ucciso il leone, dalla sua pancia uscirà un cane nero così veloce che per raggiungerlo ci vorrebbe il cane più veloce del mondo. Ucciso il cane nero dal suo ventre uscirà un'aquila nera che non so quale aquila oserebbe sfidarla. Ma se anche l'aquila nera fosse uccisa, bisognerebbe portarle via dal ventre un uovo nero, e questo uovo rompermelo sulla fronte, perché la mia anima voli via e io resti morto. Ti pare facile? Ti pare il caso di stare in pena?

Giuanin con le sue orecchiuzze da formichina stava a sentire tutto, e coi suoi passettini uscí dalla fessura, e tornò sul davanzale. Lí si cambiò di nuovo in aquila e volò nel bosco. Nel bosco si cambiò in leone e prese a girare tra le piante finché non trovò il leone nero. Il leone nero gli s'avventò ma Giuanin era il leone più forte del mondo e lo sbranò. (Nel castello, il Mago si sentí girar la testa). Aperta la pancia del leone ne saettò fuori un cane nero velocissimo, ma Giuanin diventò il cane più veloce del mondo e lo raggiunse e rotolarono insieme mordendosi finché il cane nero restò a terra morto. (Nel castello il Mago si dovette mettere a letto).

Aperta la pancia al cane, ne volò via un'aquila nera, ma Giuanin diventò l'aquila piú grande del mondo e insieme presero a girare per il cielo lanciandosi beccate e colpi d'artiglio, finché l'aquila nera non chiuse le ali e cadde a terra. (Nel castello, il Mago aveva una febbre da cavallo e stava rannicchiato sotto le coperte).

Giuanin, tornato uomo, aperse la pancia all'aquila e vi trovò l'uovo nero. Andò al castello e lo diede alla figlia del Re tutta contenta.

– Ma come hai fatto? – gli disse lei.

– Roba da niente, – disse Giuanin, – adesso tocca a te.

La figlia del Re andò in camera dal Mago. – Come stai?

– Ahi, povero me, qualcuno m'ha tradito...

– T'ho portato una tazza di brodo. Bevi.

Il Mago si rizzò a sedere sul letto e si chinò per bere il brodo.

– Aspetta che ci rompo un uovo dentro, cosí è piú sostanzioso, – e cosí dicendo la figlia del Re gli ruppe l'uovo nero sulla fronte. Il Mago Corpo-senza-l'anima restò lí morto sul colpo.

Giuanin ricondusse dal Re sua figlia, tutti felici e contenti e il Re gliela diede subito in sposa.

(Riviera ligure di ponente).

4.
Il naso d'argento

C'era una lavandaia che era rimasta vedova con tre figliole. S'ingegnavano tutte e quattro a lavar roba piú che potevano, ma pativano la fame lo stesso. Un giorno la figlia maggiore disse alla madre:

– Dovessi anche andare a servire il Diavolo, voglio andarmene via di casa.

– Non dire cosí, figlia mia, – fece la madre. – Non sai cosa ti può succedere.

Non passarono molti giorni e a casa loro si presentò un signore vestito di nero, tutto compito, e col naso d'argento.

– So che avete tre figlie, – disse alla madre. – Lascereste che ne venisse una a mio servizio?

La madre l'avrebbe lasciata andare subito, ma c'era quel naso d'argento che non le piaceva. Chiamò in disparte la figlia maggiore e le disse: – Guarda che in questo mondo uomini col naso d'argento non ce ne sono: sta' attenta, se vai con lui te ne potresti pentire.

La figlia, che non vedeva l'ora d'andarsene di casa, partí lo stesso con quell'uomo. Fecero molta strada, per boschi e per montagne, e a un certo punto, lontano, si vide un gran chiarore come d'un incendio. – Cosa c'è laggiú? – chiese la ragazza, cominciando a sentire un po' d'apprensione.

– Casa mia. Là andiamo, – disse Naso d'Argento.

La ragazza proseguí e non sapeva ormai trattenere un tremito. Arrivarono a un gran palazzo, e Naso d'Argento la portò a vedere tutte le stanze, una piú bella dell'altra, e d'ognuna le dava la chiave. Giunti alla porta dell'ultima stanza, Naso d'Argento le diede la chiave ma le disse: – Questa porta non la devi aprire per nessuna ragione, se no guai! Di tutto il resto, sei padrona; ma di questa stanza no!

La ragazza pensò: «Qui c'è qualcosa sotto!» e si ripromise d'aprire quella porta appena Naso d'Argento l'avesse lasciata sola. La sera dormiva nella sua cameretta, quando Naso d'Argento entrò furtivamente, s'avvicinò al suo letto e le pose tra i capelli una rosa. E silenzioso com'era venuto se ne andò.

L'indomani mattina, Naso d'Argento uscí per i suoi affari, e la ragazza, rimasta sola in casa con tutte le chiavi, corse subito ad aprire la porta proibita. Appena schiuse la porta, uscirono fuori fiamme e fumo: e in mezzo al fuoco e al fumo c'era pieno d'anime dannate che bruciavano. Capí allora che Naso d'Argento era il Diavolo e quella stanza era l'Inferno. Diede un grido, chiuse subito la porta, scappò quanto piú lontano poteva da quella stanza infernale, ma una lingua di fuoco le aveva bruciacchiato la rosa che portava tra i capelli.

Naso d'Argento tornò a casa e vide la rosa strinata[1]. – Ah, cosí m'hai obbedito! – disse. La prese di peso, aperse la porta dell'Inferno, e la scagliò tra le fiamme.

Il giorno dopo ritornò da quella donna. – Vostra figlia si trova tanto bene da me, ma il lavoro è molto e ha bisogno d'aiuto. Ci mandereste anche la seconda vostra figlia? – E cosí Naso d'Argento tornò con l'altra sorella. Anche a lei mostrò la casa, diede tutte le chiavi e anche a lei disse che tutte le stanze poteva aprire, tranne quell'ultima. – Figuratevi, – disse la ragazza, – perché dovrei aprirla? Che me n'importa dei fatti vostri? – La sera, quando la ragazza andò a letto, Naso d'Argen-

1. Bruciacchiata.

to s'avvicinò al suo letto piano piano e le mise tra i capelli un garofano.

La mattina dopo, appena Naso d'Argento fu uscito, la prima cosa che fece la ragazza fu d'andare ad aprire la porta proibita. Fumo, fiamme, urla di dannati, e in mezzo al fuoco riconobbe sua sorella. – Sorella mia, – le gridò, – liberami tu da quest'Inferno! – Ma la ragazza si sentiva svenire; chiuse la porta in fretta e scappò, ma non sapeva dove nascondersi perché ormai era sicura che Naso d'Argento era il Diavolo e lei era in mano sua senza scampo. Tornò Naso d'Argento e per prima cosa la guardò in testa: vide il garofano appassito, e senza dirle una parola la prese di peso e la buttò anche lei all'Inferno.

L'indomani, vestito come al solito da gran signore, si ripresentò a casa della lavandaia. – Il lavoro a casa mia è tanto, due ragazze non bastano: mi dareste anche la terza? – E cosí se ne tornò con la terza sorella, che si chiamava Lucia ed era la piú furba di tutte. Anche a lei mostrò la casa e fece le solite raccomandazioni; e anche a lei mentr'era addormentata mise un fiore nei capelli: un fior di gelsomino. Alla mattina, quando Lucia s'alzò, andò subito a pettinarsi, e guardandosi nello specchio, vide il gelsomino. «Guarda un po', – si disse, – Naso d'Argento m'ha messo un gelsomino. Che gentile pensiero! Mah! Lo metterò in fresco», e lo mise in un bicchiere. Quando fu pettinata, visto che era sola in casa, pensò: «Adesso andiamo un po' a vedere quella porta misteriosa».

Appena aperto, ecco le vien contro una vampa di fuoco, e vede tanta gente che bruciava, e, in mezzo a tutti, sua sorella la maggiore, e poi sua sorella la seconda. – Lucia! Lucia! – gridarono, – toglici di qui! salvaci!

Lucia per prima cosa richiuse la porta per bene; poi pensò come poteva salvare le sorelle.

17

Quando tornò il Diavolo, Lucia s'era rimessa tra i capelli il suo gelsomino, e faceva finta di niente. Naso d'Argento guardò il gelsomino. – Oh, è fresco, – disse.

– Certo, perché non avrebbe dovuto esser fresco? Che si tengono in testa i fiori secchi?

– Niente, dicevo cosí per dire, – fece Naso d'Argento. – Tu mi sembri una brava ragazza, se continuerai cosí andremo sempre d'accordo. Sei contenta?

– Sí, qui sto bene, ma starei ancor meglio se non ci avessi un pensiero.

– Che pensiero?

– Quando sono partita da casa mia madre non stava tanto bene. E ora sono senza sue notizie.

– Se non è che questo, – disse il Diavolo, – ci faccio un passo io e cosí ti porto notizie.

– Grazie, siete proprio buono. Se potete passarci domani, io intanto preparo un sacco con un po' di roba sporca, cosí se mia madre sta bene gliela date da lavare. Non vi pesa?

– Figurati, – disse il Diavolo. – Io posso portare qualsiasi peso.

Appena il Diavolo fu uscito, Lucia aperse la porta dell'Inferno, tirò fuori sua sorella maggiore e la chiuse in un sacco. – Stattene lí tranquilla, Carlotta, – le disse. – Adesso il Diavolo in persona ti riporterà a casa. Ma, se senti che fa tanto di posare il sacco, bisogna che tu dica: «Ti vedo! Ti vedo!»

Quando venne Naso d'Argento, Lucia gli disse: – Qui c'è il sacco della roba da lavare. Ma ce lo portate davvero fin da mia madre?

– Non ti fidi di me? – fece il Diavolo.

– Sí che mi fido, tanto piú che io ho questa virtú: che posso vedere da lontano, e, se fate tanto di posare il sacco da qualche parte, io lo vedo.

Il Diavolo disse: – Ah sí, guarda! – ma lui a questa

storia della virtú di vedere da lontano ci credeva poco. Si mise il sacco in spalla. – Quanto pesa, questa roba sporca! – fece.

– Sfido! – disse la ragazza. – Quanti anni erano che non davate niente a lavare?

Naso d'Argento si mise in cammino. Ma, arrivato a mezza strada, si disse: «Sarà! Però io voglio vedere se questa ragazza, con la scusa di mandare la roba a lavare, non mi vuota la casa», e fece per posare il sacco e aprirlo.

– Ti vedo! Ti vedo! – gridò subito la sorella da dentro il sacco.

«Perbacco, è vero! Vede da distante!», si disse Naso d'Argento, e rimessosi il sacco in spalla, andò difilato a casa della madre di Lucia. – Vostra figlia vi manda questa roba da lavare e vuol sapere come state...

Appena rimasta sola, la lavandaia aperse il sacco, e figuratevi il suo piacere a ritrovare la figlia maggiore.

Dopo una settimana, la Lucia tornò a far la malinconica con Naso d'Argento, e a dirgli che voleva notizie della madre.

E lo mandò a casa sua con un altro sacco di roba sporca. Cosí Naso d'Argento si portò via la seconda sorella, e non riuscí a guardare dentro il sacco perché sentí gridare: – Ti vedo! Ti vedo!

La lavandaia, che ormai sapeva che Naso d'Argento era il Diavolo, era piena di paura vedendolo tornare perché pensava che le avrebbe chiesto la roba lavata dell'altra volta, ma Naso d'Argento posò il nuovo sacco, e disse: – La roba lavata la verrò a prendere un altro giorno. Con questo sacco pesante mi son rotto le ossa e voglio tornare a casa scarico.

Quando se ne fu andato, la lavandaia tutta ansiosa aperse il sacco e abbracciò la sua seconda figlia. Ma cominciò a essere piú in pena che mai per Lucia che ora era sola in mano al Diavolo.

Cosa fece Lucia? Di lí a poco, riattaccò con quella storia delle notizie della madre. Il Diavolo s'era ormai seccato di portar sacchi di roba sporca, ma questa ragazza era cosí obbediente che lui se la teneva cara. La sera prima, Lucia disse che aveva tanto mal di testa e andava a letto prima. – Vi lascio il sacco preparato, cosí domattina, anche se non mi sento bene e non mi trovate alzata potete prenderlo da voi.

Ora, bisogna sapere che Lucia s'era cucita una bambola di stracci grande quanto lei. La mise a letto, sepolta sotto le coperte, si tagliò le trecce e le cucí in testa alla bambola, cosí che sembrava lei addormentata. E lei si chiuse nel sacco.

La mattina, il Diavolo vide la ragazza in letto sprofondata sotto le coperte, e si mise in via col sacco in spalla. «Stamattina è malata, – si disse. – Non ci farà attenzione. È la volta buona per vedere se è davvero solo roba sporca». Posò lesto il sacco e fece per aprirlo.
– Ti vedo! Ti vedo! – gridò Lucia.

«Perbacco! Proprio la sua voce come fosse qui! È una ragazza che è meglio non scherzarci tanto». Si rimise il sacco in spalla e lo portò alla lavandaia. – Passerò a prendere tutto poi, – disse in fretta, – ora devo tornare a casa perché Lucia è ammalata.

Cosí la famiglia fu di nuovo riunita, e siccome Lucia s'era portata dietro anche tanti quattrini del Diavolo, potevano vivere felici e contente. Piantarono una croce davanti all'uscio, cosí il Diavolo non osò piú avvicinarsi.

(Langhe).

5.
La barba del Conte

Pocapaglia era un paese cosí erto, in cima a una collina dai fianchi cosí ripidi, che gli abitanti, per non perdere le uova che appena fatte sarebbero rotolate giú nei boschi, appendevano un sacchetto sotto la coda delle galline.

Questo vuol dire che i Pocapagliesi non erano addormentati come si diceva, e che il proverbio

Tutti sanno che a Pocapaglia
L'asino fischia e il suo padrone raglia

era una malignità dei paesi vicini, i quali ce l'avevano coi Pocapagliesi solo per il fatto che erano gente tranquilla, che non gli piaceva litigare con nessuno.

– Sí, sí, – era tutto quello che rispondevano i Pocapagliesi, – aspettate che torni Masino, e vedrete chi raglierà di piú, tra voi e noi.

Masino era il piú sveglio dei Pocapagliesi e il piú benvoluto da tutto il paese. Non era robusto piú degli altri, anzi, a vederlo non gli si sarebbe dato un soldo, ma era furbo dalla nascita. Sua madre, appena nato, vedendolo cosí piccino, per tenerlo in vita e irrobustirlo un po', gli aveva fatto fare un bagno nel vino caldo. Suo padre, per scaldare il vino, ci aveva messo dentro un ferro di cavallo rosso come il fuoco. Cosí Masino aveva preso attraverso la pelle la furbizia che c'è nel vino e la resistenza che c'è nel ferro. Dopo questo bagno, perché si rinfrescasse, sua madre l'aveva messo in culla in un gu-

21

scio di castagna ancora verde, che, essendo amaro, dà intelligenza.

In quei tempi, mentre i Pocapagliesi aspettavano il ritorno di Masino, che da quando era partito soldato non aveva fatto piú ritorno al paese e adesso pareva fosse dalle parti dell'Africa, cominciarono a succedere a Pocapaglia fatti misteriosi. Ogni sera capitava che buoi e vacche che tornavano dal pascolo in pianura venivano rubati dalla Maschera[1] Micillina.

La Maschera Micillina stava appostata nei boschi sotto il paese e bastava un suo soffio per portare via un bue. I contadini, a sentirla frusciare nei cespugli dopo il tramonto, battevano i denti e cascavano tramortiti, tanto che si diceva:

La Maschera Micillina
Ruba i buoi dalla cascina,
Guarda con l'occhio storto,
E si stende come morto.

I contadini la notte presero ad accendere dei grandi falò perché la Maschera Micillina non s'azzardasse a uscire dai cespugli. Ma la Maschera s'avvicinava senza farsi sentire al contadino che stava da solo a far la guardia alle bestie vicino al falò, lo tramortiva con un soffio, e alla mattina quando si svegliava non trovava piú né vacche né buoi, e i compagni lo sentivano piangere e disperarsi e darsi pugni sulla testa. Tutti allora si mettevano a battere i boschi per cercare tracce delle bestie, ma non trovavano che ciuffi di pelo, forcine, e orme di piedi lasciate qua e là dalla Maschera Micillina.

Andò avanti cosí per mesi e mesi, e le vacche sempre chiuse in stalla diventavano tanto magre che per pulirle non ci voleva piú la spazzola ma un rastrello che passasse tra costola e costola. Nessuno osava piú portare le bestie alla pastura, nessuno osava piú entrare nel bo-

1. *Masca* o *Mascra* nei dialetti piemontesi equivale a strega.

sco, e i funghi porcini del bosco, siccome nessuno li co-glieva, diventavano grossi come ombrelli.

A rubare negli altri paesi la Maschera Micillina non ci andava, perché sapeva che gente tranquilla e senza voglia di litigare come a Pocapaglia non c'era in nessun posto, e ogni sera quei poveri contadini accendevano un falò nella piazza del paese, le donne e i bambini si chiudevano nelle case, e gli uomini restavano intorno al grande fuoco a grattarsi la testa e a lamentarsi. Gratta e lamenta oggi, gratta e lamenta domani, i contadini decisero che bisognava andare dal Conte a chiedere aiuto.

Il Conte abitava in cima al paese, in una grande ca-scina rotonda, con intorno un muraglione seminato di cocci di vetro. E una domenica mattina, tutti insieme, arrivarono col cappello in mano, bussarono, gli fu aper-to, entrarono nel cortile davanti alla casa rotonda del Conte, tutta ringhiere e finestre sprangate. Intorno al cortile c'erano seduti i soldati del Conte, che si liscia-vano i baffi con l'olio per farli luccicare e guardavano brutto i contadini. E in fondo al cortile, su una sedia di velluto, c'era il Conte, con la barba nera lunga lunga, che quattro soldati con quattro pettini stavano petti-nando dall'alto in basso.

Il piú vecchio dei contadini si fece coraggio e disse: – Signor Conte, abbiamo osato di venire fino a lei, per dirle qual è la nostra sventura che tutte le bestie andan-do nel bosco c'è la Maschera Micillina che se le piglia, – e cosí, tra sospiri e lamenti, con gli altri contadini che facevano sempre segno di sí, gli raccontò tutta la loro vita di paura.

Il Conte restò zitto.

– E noi siamo qui venuti, – disse il vecchio, – per osare di chiedere un consiglio a Sua Signoria.

Il Conte restò zitto.

– E siamo qui venuti, – aggiunse, – per osare di

chiedere a Sua Signoria la grazia di venirci in aiuto, perché se ci concede una scorta di soldati potremmo portare di nuovo in pastura le nostre bestie.

Il Conte scosse il capo. – Se concedo i soldati, – disse, – devo concedere anche il capitano...

I contadini stavano a sentire, con un filo di speranza.

– Ma se mi manca il capitano, – fece il Conte, – allora, alla sera, con chi potrò giocare a tombola?

I contadini si misero in ginocchio: – Ci aiuti, signor Conte, per pietà! – I soldati intorno sbadigliavano e si ungevano i baffi.

Il Conte scosse ancora il capo e disse:

Io sono il Conte e conto per tre
E se la Maschera non l'ho mai vista
Vuol dire che di Maschere non ce n'è.

A quelle parole i soldati sempre sbadigliando presero i fucili e a passo lento caricarono i contadini a baionetta in canna, finché non sgombrarono il cortile.

Tornati sulla piazza, scoraggiati, i contadini non sapevano piú cosa fare. Ma il piú vecchio, quello che aveva parlato al Conte, disse: – Qui bisogna mandare a chiamare Masino!

Cosí si misero a scrivere una lettera a Masino e la mandarono in Africa. E una sera, mentre erano raccolti come al solito attorno al falò della piazza, Masino ritornò. Figuratevi le feste, gli abbracci, le marmitte di vino caldo con le spezie! E – Dove sei stato! – e – Cos'hai visto? – e – Sapessi quanto siamo disgraziati!

Masino prima li lasciò raccontare loro, poi si mise a raccontare lui: – Nell'Africa ho visto cannibali che non potendo mangiare uomini mangiavano cicale, nel deserto ho visto un pazzo che per scavare acqua s'era fatto crescere le unghie dodici metri, nel mare ho visto un pesce con una scarpa e una pantofola che voleva essere re degli altri pesci perché nessun altro pesce aveva scarpe né pantofole, in Sicilia ho visto una donna che aveva settanta figli e una pentola sola, a Napoli ho visto gente che camminava stando ferma perché le chiacchiere degli altri la spingeva avanti; ho visto chi la vuol nera, ho visto chi la vuol bianca, ho visto chi pesa un quintale, e chi è grosso come una scaglia, ho visto tanti che hanno paura, ma mai come a Pocapaglia.

I contadini chinarono il capo, pieni di vergogna, perché Masino trattandoli da paurosi, li aveva toccati nel punto debole. Ma Masino non voleva prendersela con i suoi compaesani. Si fece raccontare tutti i particolari della storia della Maschera e poi disse: – Adesso faccio tre domande e dopo, suonata la mezzanotte, andrò a prendervi la Maschera e ve la porterò qui.

– Domanda! Domanda! – dissero tutti.

– La prima domanda è al barbiere. Quanti sono venuti da te questo mese?

E il barbiere rispose:

Barbe lunghe e barbe corte,
Barbe molli e barbe storte,
Capelli ricci e capelli brutti,
Le mie forbici li han tagliati tutti.

– E ora a te, ciabattino, quanti ti hanno portato gli zoccoli da aggiustare, questo mese?

– Ahimè, – disse il ciabattino,

Facevo zoccoli di legno e cuoio,
Ben ribattuti chiodo per chiodo,
Facevo scarpe di seta e serpente,
Ma ora non han soldi e non mi fan far piú niente.

– Terza domanda a te, cordaio: quante corde hai venduto in questo mese?

E il cordaio:

Corde ritorte, corde filate,
Corde di paglia a strisce e intrecciate,
Corde da pozzo, di vimini e spago,

Grosse un braccio, sottili un ago,
Forti di ferro, molli di strutto,
In questo mese ho venduto tutto.

– Basta cosí, – disse Masino, e si coricò accanto al fuoco. – Adesso dormo due ore perché sono stanco. A mezzanotte svegliatemi, e andrò a prendere la Maschera –. Si coprí la faccia col cappello e s'addormentò.

I contadini stettero zitti fino a mezzanotte, trattenendo perfino il respiro per paura di svegliarlo. A mezzanotte Masino si riscosse, sbadigliò, bevve una tazza di vino caldo, sputò tre volte nel fuoco, s'alzò senza guardare nessuno di quelli che gli stavano intorno, e prese per la via del bosco.

I contadini rimasero ad aspettare, guardando il fuoco che diventava brace, e la brace che diventava cenere, e la cenere che diventava nera, fino a quando non tornò Masino. E chi si portava dietro Masino, tirandolo per la barba? Il Conte, il Conte che piangeva, tirava calci, chiedeva pietà.

– Ecco la Maschera! – gridò Masino. E poi subito: – Dove l'avete messo il vino caldo?

Il Conte, sotto gli occhi sgranati di tutti i paesani, cercò di farsi piú piccolo che poteva, si sedette per terra tutto rannicchiato come una mosca che ha freddo.

– Non poteva essere uno di voi, – spiegò Masino, – perché siete andati tutti dal barbiere e non avete pelo da perdere nei cespugli; e poi c'erano quelle impronte di scarpe grosse e pesanti mentre voi andate scalzi. E non poteva essere uno spirito perché non avrebbe avuto bisogno di comprare tante corde per legare le bestie rubate e portarle via. Ma dov'è questo vino caldo?

Il Conte, tutto tremante, cercava di nascondersi nella barba che Masino gli aveva arruffato e strappato per tirarlo fuori dai cespugli.

– E come mai ci tramortiva con lo sguardo? – domandò un contadino.

– Vi dava una legnata in testa con un bastone coperto di stracci, cosí sentivate solo un soffio per aria, non vi lasciava il segno, e vi svegliavate con la testa pesante.

– E le forcine che perdeva? – domandò un altro.

– Gli servivano per legarsi la barba sulla testa, come i capelli delle donne.

I contadini erano stati a sentire in silenzio, ma quando Masino disse: – E adesso, cosa volete farne? – scoppiò una tempesta di grida: – Lo bruciamo! Lo peliamo! Lo leghiamo a un palo da spaventapasseri! Lo chiudiamo in una botte e lo facciamo rotolare! Lo mettiamo in un sacco con sei gatti e sei cani!

– Pietà! – diceva il Conte con un fil di voce.

– Fate cosí, – dice Masino, – vi restituirà le bestie e vi pulirà le stalle. E visto che gli è piaciuto andar di notte nei boschi, sia condannato a continuare ad andarci tutte le notti, a far fascine per voialtri. E dite ai bambini che non raccolgano mai le forcine che troveranno per terra, perché sono quelle della Maschera Micillina, che non riuscirà piú a tenersi in ordine i capelli e la barba.

E cosí fu fatto. Poi Masino partí per il giro del mondo, e lungo il giro gli capitò di fare una guerra dopo l'altra, tutte cosí lunghe che ne venne il proverbio:

O soldatin di guerra,
Mangi mal, dormi per terra,
Metti la polvere nei cannon,
Bim-Bon!

(Bra).

6.

La bambina venduta con le pere

Una volta un uomo aveva un pero, che gli faceva quattro corbe[1] di pere all'anno. Accadde che un anno gliene fece solo tre corbe e mezzo, e al Re bisognava portarne quattro. Non sapendo come riempire la quarta corba, ci mise dentro la piú piccina delle sue figliole, e poi la coprí di pere e foglie.

Le corbe furono portate nella dispensa del Re, e la bambina rotolò insieme alle pere e si nascose. Stava lí, nella dispensa, e non avendo altro da mangiare, rosicchiava le pere. Dopo un po' i servitori s'accorsero che la provvista di pere scemava[2], e trovarono anche i torsoli. Dissero: – Ci dev'essere un topo o una talpa che rosicchia le pere: bisogna guardarci, – e frugando tra le stuoie trovarono la bambina.

Le dissero: – Che fai qui? Vieni con noi, e servirai nella cucina del Re.

La chiamarono Perina, e Perina era una bambina cosí brava che in poco tempo sapeva fare le faccende meglio delle serve del Re, ed era tanto graziosa da farsi voler bene da tutti. Anche il figlio del Re, che aveva la sua età, stava sempre insieme a Perina, e tra loro nacque una grande simpatia.

Come la ragazza cresceva, cresceva l'invidia delle serve; per un po' stettero zitte, poi cominciarono a cercar

1. Grosse ceste bislunghe intrecciate, di vimini o di castagno.
2. Diminuiva.

28

di mettere male. Cosí si misero a dire che Perina s'era vantata d'andare a pigliare il tesoro alle streghe. La voce arrivò alle orecchie del Re, che la chiamò e le disse:
– È vero che ti sei vantata d'andare a pigliare il tesoro alle streghe?

Perina disse: – No che non è vero, Sacra Corona; non so nulla io.

Ma il Re insistette: – L'hai detto e parola data bisogna che tu la mantenga, – e la cacciò dal palazzo finché non avesse portato quel tesoro.

Cammina cammina, venne notte. Perina incontrò un albero di melo e non si fermò. Incontrò un albero di pesco e non si fermò. Incontrò un albero di pero, s'arrampicò tra i rami e s'addormentò.

Al mattino al piede dell'albero c'era una vecchiettina. – Cosa fai quassú, bella figliola? – le chiese la vecchiettina.

E Perina le raccontò la difficoltà in cui si trovava. La vecchietta le disse: – Tieni queste tre libbre di sugna[1], queste tre libbre di pane e queste tre libbre di saggina[2] e va' sempre avanti –. Perina la ringraziò molto e proseguí il cammino.

Arrivò in un luogo dove c'era un forno. E c'erano tre donne che si strappavano i capelli, e coi capelli spazzavano il forno. Perina diede loro le tre libbre di saggina e loro presero a spazzare il forno con la saggina e la lasciarono passare.

Cammina cammina arrivò a un luogo dove c'erano tre cani mastini che abbaiavano e saltavano addosso alle persone. Perina gettò loro le tre libbre di pane e la lasciarono passare.

Cammina cammina arrivò a un fiume d'acqua rossa

1. Grasso di maiale.
2. Pianta erbacea, le cui infiorescenze vengono usate per fabbricare scope.

che pareva sangue e non sapeva come attraversarlo. Ma
la vecchina le aveva detto che dicesse:

Acquetta bella acquetta,
Se non avessi fretta
Ne berrei una scodelletta.

A quelle parole l'acqua si ritirò e la lasciò passare.

Al di là di quel fiume, Perina vide uno dei palazzi piú
belli e grandi che fossero al mondo. Ma la porta s'apriva e serrava cosí in fretta che nessuno ci poteva entrare. Perina allora con le tre libbre di sugna unse i cardini
e la porta cominciò ad aprirsi e chiudersi dolcemente.

Entrata nel palazzo, Perina vide la cassetta del tesoro
sopra un tavolino. La prese e fece per tornar via, quando la cassettina cominciò a parlare.

– Porta ammazzala, porta ammazzala! – diceva la
cassetta.

E la porta rispondeva: – No che non l'ammazzo,
perché da tanto non ero unta e lei m'ha unta.

Perina arrivò al fiume e la cassetta diceva: – Fiume
affogala, fiume affogala!

E il fiume rispondeva: – No che non la affogo, perché m'ha detto acquetta bella acquetta.

Arrivò dai cani, e la cassetta: – Cani mangiatela, cani mangiatela! – E i cani: – No che non la mangiamo,
perché ci ha dato tre libbre di pane.

Passò dal forno: – Forno bruciala, forno bruciala!

E le donne: – No che non la bruciamo, perché ci ha
dato tre libbre di saggina e cosí risparmiamo i capelli.

Appena fu vicina a casa, Perina, curiosa come tutte le
ragazzine, volle vedere cosa c'era nella cassetta. L'aperse e scappò via una gallina coi pulcini d'oro. Zampetta-
vano via cosí veloci che non si potevano raggiungere.
Perina si mise a correre loro dietro. Passò dall'albero di
melo e non li trovò, passò dall'albero di pesco e non li
trovò, passò dall'albero di pero e c'era la vecchiettina

con una bacchetta in mano che pascolava la gallina coi pulcini d'oro. – Sciò, sciò, – fece la vecchietta e la gallina coi pulcini d'oro rientrò nella cassetta.

Tornando a casa, Perina si vide venire incontro il figlio del Re. – Quando mio padre ti chiederà cosa vuoi per premio, tu di' quella cassa piena di carbone che è in cantina.

Sulla soglia del palazzo reale, c'erano le serve, il Re e tutti quelli della Corte, e Perina diede al Re la gallina coi pulcini d'oro. – Domanda quello che vuoi, – disse il Re, – te lo darò.

E Perina rispose: – La cassa di carbone ch'è in cantina –. Le diedero la cassa di carbone, l'aperse e saltò fuori il figlio del Re che ci s'era nascosto dentro. Allora il Re si contentò che Perina sposasse il suo figliolo.

(Monferrato).

7.
Il principe che sposò una rana

C'era una volta un Re che aveva tre figli in età da prender moglie. Perché non sorgessero rivalità sulla scelta delle tre spose, disse: – Tirate con la frombola[1] piú lontano che potete: dove cadrà la pietra là prenderete moglie.

I tre figli presero le frombole e tirarono. Il piú grande tirò e la pietra arrivò sul tetto d'un forno; ed egli ebbe la fornaia. Il secondo tirò e la pietra arrivò alla casa di una tessitrice. Al piú piccino la pietra cascò in un fosso.

Appena tirato, ognuno correva a portare l'anello alla fidanzata. Il piú grande trovò una giovinotta bella soffice come una focaccia, il mezzano una pallidina, fina come un filo, e il piú piccino guarda guarda in quel fosso, non ci trovò che una rana.

Tornarono dal Re a dire delle loro fidanzate. – Ora, – disse il Re, – chi ha la sposa migliore erediterà il regno. Facciamo le prove –. E diede a ognuno della canapa perché gliela riportassero di lí a tre giorni filata dalle fidanzate, a vedere chi filava meglio.

I figli andarono dalle fidanzate e si raccomandarono che filassero a puntino; e il piú piccolo, tutto mortificato, con quella canapa in mano, se ne andò sul ciglio del fosso e si mise a chiamare:

– Rana, rana!
– Chi mi chiama?

1. Fionda.

– L'amor tuo che poco t'ama.
– Se non m'ama, m'amerà
   Quando bella mi vedrà.

E la rana saltò fuori dall'acqua su una foglia. Il figlio
del Re le diede la canapa e disse che sarebbe ripassato
a prenderla filata dopo tre giorni.

Dopo tre giorni i fratelli maggiori corsero tutti ansio-
si dalla fornaia e dalla tessitrice a ritirare la canapa. La
fornaia aveva fatto un bel lavoro, ma la tessitrice – era
il suo mestiere – l'aveva filata che pareva seta. E il piú
piccino? Andò al fosso:

– Rana, rana!
– Chi mi chiama?
– L'amor tuo che poco t'ama.
– Se non m'ama, m'amerà
   Quando bella mi vedrà.

Saltò su una foglia e aveva in bocca una noce. Lui si
vergognava un po' di andare dal padre con una noce
mentre i fratelli avevano portato la canapa filata; ma si
fece coraggio e andò. Il Re che aveva già guardato per
dritto e per traverso il lavoro della fornaia e della tessitrice, aperse la noce del piú piccino, e intanto i fratelli
sghignazzavano. Aperta la noce ne venne fuori una tela
cosí fina che pareva tela di ragno, e tira tira, spiega
spiega, non finiva mai, e tutta la sala del trono ne era
invasa. – Ma questa tela non finisce mai! – disse il Re,
e appena dette queste parole la tela finí.

Il padre, a quest'idea che una rana diventasse regina,
non voleva rassegnarsi. Erano nati tre cuccioli alla sua
cagna da caccia preferita, e li diede ai tre figli: – Por-
tateli alle vostre fidanzate e tornerete a prenderli tra un
mese: chi l'avrà allevato meglio sarà regina.

Dopo un mese si vide che il cane della fornaia era diventato un molosso[1] grande e grosso, perché il pane

1. Feroce cane da guardia e da caccia.

non gli era mancato; quello della tessitrice, tenuto piú a stecchetto, era venuto un famelico mastino. Il piú piccino arrivò con una cassettina; il Re aperse la cassettina e ne uscí un barboncino infiocchettato, pettinato, profumato, che stava ritto sulle zampe di dietro e sapeva fare gli esercizi militari e far di conto.

E il Re disse: – Non c'è dubbio; sarà re mio figlio minore e la rana sarà regina.

Furono stabilite le nozze, tutti e tre i fratelli lo stesso giorno. I fratelli maggiori andarono a prendere le spose con carrozze infiorate tirate da quattro cavalli, e le spose salirono tutte cariche di piume e di gioielli.

Il piú piccino andò al fosso, e la rana l'aspettava in una carrozza fatta d'una foglia di fico tirata da quattro lumache. Presero ad andare: lui andava avanti, e le lumache lo seguivano tirando la foglia con la rana. Ogni tanto si fermava ad aspettarle, e una volta si addormentò. Quando si svegliò, gli s'era fermata davanti una carrozza d'oro, imbottita di velluto, con due cavalli bianchi e dentro c'era una ragazza bella come il sole con un abito verde smeraldo.

– Chi siete? – disse il figlio minore.

– Sono la rana, – e siccome lui non ci voleva credere, la ragazza aperse uno scrigno dove c'era la foglia di fico, la pelle della rana e quattro gusci di lumaca. – Ero una Principessa trasformata in rana, e solo se un figlio di Re acconsentiva a sposarmi senza sapere che ero bella avrei ripreso la forma umana.

Il Re fu tutto contento e ai figli maggiori che si rodevano d'invidia disse che chi non era neanche capace di scegliere la moglie non meritava la Corona. Re e regina diventarono il piú piccino e la sua sposa.

(Monferrato).

8.

Cric e Croc

In un paese lontano c'era un ladro famoso che chiamavano Cric e non l'avevano potuto mai pigliare. Questo Cric voleva far conoscenza con un altro ladro che chiamavano Croc, famoso quanto lui, per far lega assieme. Un giorno Cric all'osteria mangiava al tavolo d'uno sconosciuto. Fa per guardare l'ora e vede che è rimasto senza orologio. «Se costui m'ha rubato l'orologio senza che me ne sia accorto, – pensa, – non può essere che Croc», e gli ruba subito la borsa dei danari. Quando lo sconosciuto fa per pagare e si trova senza borsa, dice al compagno: – Allora tu sei Cric.

E l'altro: – E tu sei Croc.

– Sí.

– Bene, ruberemo insieme, – e fecero lega.

Andarono alla città e c'era il tesoro del Re tutto circondato da guardie. Loro con un buco sottoterra ci entrarono e lo rubarono. Il Re, visto il saccheggio, non sapeva dove battere il capo. Va da uno che era in prigione per ladro, chiamato Portacalcina, e gli fa: – Se tu mi dici chi è che ha rubato il tesoro, ti lascio in libertà e ti faccio marchese.

Portacalcina rispose: – Non può essere che Cric o Croc o tutti e due insieme, perché sono i piú gran ladri che ci sono. Ma le dico io come fare a prenderli. Faccia mettere la carne a cento lire la libbra. Chi l'andrà a comperare sarà il ladro.

Il Re fa mettere la carne a cento lire la libbra, e nessuno comprava piú carne. Finalmente gli dicono che a una macelleria è andato a comprar carne un frate. Portacalcina disse: – Era certo Cric o Croc travestito. Adesso mi travesto anch'io e vado per le case come un mendicante. Chi mi dà da mangiare della carne, gli faccio un segno rosso sul portone e le guardie lo troveranno.

Ma quando fece il segno rosso sulla casa di Cric, il ladro se ne accorse e andò a segnare di rosso tutte le altre porte della città, cosí non si capiva piú niente.

Portacalcina disse al Re: – Non gliel'ho detto io che sono furbi? Ma c'è anche chi è piú furbo di loro. Faccia cosí: in fondo alla scala del tesoro mettiamoci una tinozza piena di pece bollente. Chi andrà a rubare ci cascherà dentro e potremo vederlo da cadavere.

Cric e Croc che intanto avevano finito i danari tornarono a rubare. Per primo andava Croc, al buio, e cascò nella tinozza. Cric, visto che l'amico era morto nella pece, provò a tirar via il cadavere, ma non ci riusciva. Allora gli tagliò la testa, e la portò via.

Il giorno dopo il Re va a vedere. – Stavolta c'è, stavolta c'è! – e trova un cadavere senza testa, e cosí non si poteva riconoscerlo né saper nulla dei complici.

Portacalcina disse: – Un sistema c'è ancora. Faccia trascinare il morto da due cavalli per tutta la città. Dove sentirà piangere, là sarà la casa del ladro.

Infatti la moglie di Croc quando vide dalla finestra il cadavere del marito trascinato per la via, cominciò a urlare e a piangere. Ma c'era lí Cric, capí subito che questo voleva dire essere scoperti: allora si mise a rompere piatti e scodelle e a prendere a legnate quella donna. Entrano le guardie chiamate da quel pianto, e vedono che c'è una donna che ha rotto dei piatti, e l'uomo che la picchia e lei che piange.

Il Re allora fece attaccare ai cantoni un decreto, che lui perdonava al ladro che aveva rubato, basta che fosse buono a rubargli le lenzuola dal letto. E Cric allora si presenta, e dice che lui è buono a farlo.

La sera il Re si spoglia e si mette a letto con lo schioppo, ad aspettare il ladro. Cric si fece dare da un becchino un cadavere, lo vestí con i suoi panni e lo portò sul tetto del palazzo reale. A mezzanotte il cadavere, legato a una fune, penzolava davanti alle finestre del Re. Il Re crede che sia Cric, gli spara un colpo e vede che cade giú con la corda e tutto. Corre di sotto a vedere se è morto; e intanto Cric gli cala in camera e gli ruba le lenzuola. Cosí fu perdonato e perché non avesse piú da rubare, il Re gli fece sposare sua figlia.

(Monferrato).

9

Il Principe canarino

C'era un Re e aveva una figlia. La madre di questa figlia era morta e la matrigna era gelosa della figlia e parlava sempre male di lei al Re. La ragazza, a scolparsi, a disperarsi; ma la matrigna tanto disse e tanto fece che il Re, sebbene affezionato a sua figlia, finí per darla vinta alla Regina: e le disse di condurla pure via fuori di casa. Però doveva metterla in un posto dove stesse bene, perché non avrebbe mai permesso che fosse maltrattata. – Quanto a questo, – disse la matrigna, – sta' tranquillo, non ci pensare, – e fece chiudere la ragazza in un castello in mezzo al bosco. Prese una squadra di dame di Corte, e gliele mise lí per compagnia, con la consegna che non la lasciassero uscire e neanche affacciarsi alle finestre. Naturalmente le pagava con stipendi da Casa reale. Alla ragazza fu assegnata una stanza ben messa, e da mangiare e da bere tutto quello che voleva: solo che non poteva uscire. Le dame invece, ben pagate com'erano, con tanto tempo libero, se ne stavano per conto loro e non le badavano neppure.

Il Re ogni tanto chiedeva alla moglie: – E nostra figlia, come sta? Che fa di bello? – e la Regina, per far vedere che se ne interessava, andò a farle visita. Al castello, appena scese di carrozza, le dame le corsero tutte incontro, a dirle che stesse tranquilla, che la ragazza stava tanto bene ed era tanto felice. La Regina salí un momento in camera della ragazza. – E cosí, stai bene, sí? Non ti manca niente, no? Hai buona cera, vedo, l'aria è buona. Stai allegra, neh! Tanti saluti! – e se ne andò. Al Re disse che non aveva mai visto sua figlia tanto contenta.

Invece la Principessa, sempre sola in quella stanza, con le dame di compagnia che non la guardavano neanche, passava le giornate tristemente affacciata alla finestra. Stava affacciata coi gomiti puntati al davanzale e le sarebbe venuto un callo ai gomiti, se non avesse pensato di metterci sotto un cuscino. La finestra dava sul bosco e la Principessa per tutto il giorno non vedeva altro che le cime degli alberi, le nuvole e giú il sentiero dei cacciatori. Su quel sentiero passò un giorno il figlio d'un Re. Inseguiva un cinghiale e passando vicino a quel castello che sapeva da chissà quanti anni disabitato, si stupí vedendo segni di vita: panni stesi tra i merli, fumo dai camini, vetri aperti. Stava cosí guardando, quando scorse, a una finestra lassú, una bella ragazza affacciata, e le sorrise. Anche la ragazza vide il Principe, vestito di giallo e con le uose[1] da cacciatore e la spingarda[2], che guardava in su e le sorrideva, e anche lei gli sorrise. Cosí restarono un'ora a guardarsi e a sorridersi, e anche a farsi inchini e riverenze, perché la distanza che li separava non permetteva altre comunicazioni.

L'indomani quel figlio di Re vestito di giallo, con la scusa d'andare a caccia, era di nuovo lí, e stettero a guardarsi per due ore; e questa volta oltre a sorrisi, inchini e riverenze, si misero anche una mano sul cuore e poi sventolarono a lungo i fazzoletti. Il terzo giorno il Principe si fermò tre ore e si mandarono anche un bacio sulla punta delle dita. Il quarto giorno era lí come sempre, quando da dietro a un albero fece capolino una Masca e si mise a sghignazzare: – Uah! Uah! Uah!

1. Specie di ghette di grossa tela.
2. Grosso fucile da caccia, a canna lunga.

– Chi sei? Cos'hai da ridere? – disse vivamente il Principe.

– Ho che non s'è mai visto due innamorati cosí stupidi da starsene tanto lontani!

– Sapessi come fare a raggiungerla, nonnina! – disse il Principe.

– Mi siete simpatici, – disse la Masca, – e vi aiuterò –. E bussato alla porta del castello diede alle dame di compagnia un vecchio librone incartapecorito e bisunto, dicendo che era un suo regalo per la Principessa perché passasse il tempo leggendo. Le dame lo portarono alla ragazza che subito lo aprí e lesse: «Questo è un libro magico. Se volti le pagine nel senso giusto l'uomo diventa uccello e se volti le pagine all'incontrario l'uccello diventa uomo».

La ragazza corse alla finestra, posò il libro sul davanzale e cominciò a voltar le pagine in fretta in fretta e intanto guardava il giovane vestito di giallo, in piedi in mezzo al sentiero, ed ecco che da giovane vestito di giallo che era, muoveva le braccia, frullava le ali, ed era diventato un canarino; il canarino spiccava il volo ed ecco era già piú in alto delle cime degli alberi, ecco che veniva verso di lei, e si posava sul cuscino del davanzale. La Principessa non resistette alla tentazione di prendere quel bel canarino nel palmo della mano e di baciarlo, poi si ricordò che era un giovane e si vergognò, poi se ne ricordò ancora e non si vergognò piú, ma non vedeva l'ora di farlo tornare un giovane come prima. Riprese il libro, lo sfogliò facendo scorrere le pagine all'incontrario, ed ecco il canarino arruffava le piume gialle, frullava le ali, muoveva le braccia ed era di nuovo il giovane vestito di giallo con le uose da cacciatore che le si inginocchiava ai piedi, dicendole: – Io ti amo!

Quando s'ebbero detto tutto il loro amore, era già sera. La Principessa lentamente cominciò a girare le pagine del libro. Il giovane guardandola negli occhi ridiventò canarino, si posò sul davanzale, poi sulla gronda, poi s'affidò al vento e volò giú a grandi giri, andandosi a posare su un basso ramo d'albero. Allora ella voltò le pagine all'incontrario, il canarino tornò Principe, il Principe saltò a terra, fischiò ai cani, lanciò un bacio verso la finestra, e s'allontanò per il sentiero.

Cosí ogni giorno il libro veniva sfogliato per far volare il Principe alla finestra in cima alla torre, risfogliato per rendergli forma umana, poi sfogliato ancora per farlo volar via, e risfogliato perché tornasse a casa. I due giovani non erano mai stati cosí felici.

Un giorno, la Regina venne a trovare la figliastra. Fece un giro per la stanza, sempre dicendo: – Stai bene, sí? Ti vedo un po' magrolina, ma non è niente, vero? Non sei stata mai cosí bene, no? – E intanto s'assicurava che tutto fosse al suo posto: aperse la finestra, guardò fuori, e giú nel sentiero vide il Principe vestito di giallo che s'avvicinava coi suoi cani. «Se questa smorfiosa crede di fare la civetta alla finestra, le darò una lezione», pensò. Le chiese d'andare a preparare un bicchiere d'acqua e zucchero; poi in fretta si tolse cinque o sei spilloni dai capelli che aveva in testa e li piantò nel cuscino, in modo che restassero con la punta in su, ma non si vedessero spuntare. «Cosí imparerà a starsene affacciata al davanzale!» La ragazza tornò con l'acqua e zucchero, e lei disse: – Uh, non ho piú sete, bevitela tu, eh piccina! Io devo tornare da tuo padre. Hai bisogno di niente, no? Addio, allora, – e se ne andò.

Appena la carrozza della Regina si fu allontanata, la ragazza girò in fretta le pagine del libro, il Principe si trasformò in canarino, volò alla finestra e piombò come una freccia sul cuscino. Subito si levò un altissimo pigolío di dolore. Le piume gialle s'erano tinte di sangue, il canarino s'era conficcato gli spilloni nel petto. Si sollevò con un disperato annaspare d'ali, si affidò al vento, calò giú a incerti giri e si posò sul suolo ad ali aperte.

La Principessa spaventata, senza ancora rendersi ben conto di cos'era successo, girò velocemente i fogli all'incontrario sperando che a ridargli forma umana gli sarebbero scomparse le trafitture, ma, ahimè, il Principe riapparve grondante sangue da profonde ferite che gli squarciavano sul petto il vestito giallo, e cosí giaceva riverso attorniato dai suoi cani.

All'ululare dei cani sopraggiunsero gli altri cacciatori, lo soccorsero e lo portarono via su una lettiga di rami, senza nemmeno alzare gli occhi alla finestra della sua innamorata ancora atterrita di dolore e di spavento.

Portato alla sua reggia, il Principe non accennava a guarire, e i dottori non sapevano portargli alcun sollievo. Le ferite non si chiudevano e continuavano a dolergli. Il Re suo padre mise bandi a tutti gli angoli delle strade, promettendo tesori a chi sapesse il modo di guarirlo; ma non si trovava nessuno.

La Principessa intanto si struggeva di non poter raggiungere l'innamorato. Si mise a tagliare le lenzuola a strisce sottili e ad annodarle insieme in modo da farne una fune lunga lunga, e con questa fune una notte calò giú dall'altissima torre. Prese a camminare per il sentiero dei cacciatori. Ma tra il buio fitto e gli urli dei lupi, pensò che era meglio aspettare il mattino e trovata una vecchia quercia dal tronco cavo entrò e s'accoccolò là dentro, addormentandosi subito, stanca morta com'era. Si svegliò mentre era ancora notte fonda: le pareva d'aver sentito un fischio. Tese l'orecchio e sentí un altro fischio, poi un terzo e un quarto. E vide quattro fiammelle di candela che s'avvicinavano. Erano quattro Masche, che venivano dalle quattro parti del mondo e s'erano date convegno sotto quell'albero. Da una spaccatura del tronco la Principessa, non vista, spiava le quattro vecchie con le candele in mano, che si facevano grandi feste e sghignazzavano: – Uah! Uah! Uah!

Accesero un falò ai piedi dell'albero e si sedettero a scaldarsi e a far arrostire un paio di pipistrelli per cena. Quand'ebbero ben mangiato, cominciarono a domandarsi cosa avevano visto di bello nel mondo.

– Io ho visto il Sultano dei Turchi che s'è comprato venti mogli nuove.

– Io ho visto l'Imperatore dei Cinesi che s'è fatto crescere il codino di tre metri.

– Io ho visto il Re dei Cannibali che s'è mangiato per sbaglio il Ciambellano.

– Io ho visto il Re qui vicino che ha il figlio ammalato e nessuno sa il rimedio perché lo so solo io.

– E qual è? – chiesero le altre Masche.

– Nella sua stanza c'è una piastrella che balla, basta alzare la piastrella e si trova un'ampolla, nell'ampolla c'è un unguento che gli farebbe sparire tutte le ferite.

La Principessa da dentro all'albero stava per lanciare un grido di gioia: dovette mordersi un dito per tacere. Le Masche ormai s'eran dette tutto quel che avevano da dirsi e presero ognuna per la sua strada. La Principessa saltò fuori dall'albero, e alla luce dell'alba si mise in marcia verso la città. Alla prima bottega di rigattiere comprò una vecchia roba da dottore, e un paio d'occhiali, e andò a bussare al palazzo reale. I domestici, vedendo quel dottorino male in arnese non volevano lasciarlo entrare, ma il Re disse: – Tanto, male al mio povero figliolo non gliene può fare, perché peggio di come sta è impossibile. Fate provare anche a questo qui –. Il finto medico chiese d'esser lasciato solo col malato e gli fu concesso.

Quando fu al capezzale dell'innamorato che gemeva privo di conoscenza nel suo letto, la Principessa voleva scoppiare in lagrime e coprirlo di baci, ma si trattenne, perché doveva in fretta seguire le prescrizioni della Masca. Si mise a camminare in lungo e in largo nella stanza finché non trovò una piastrella che ballava. La sollevò, e trovò un'ampollina piena d'unguento. Con questo unguento si mise a fregare le ferite del Principe, e bastava metterci sopra la mano unta d'unguento e la ferita spariva. Piena di contentezza, chiamò il Re, e il Re vide il figlio senza piú ferite, col viso tornato colorito, che dormiva tranquillo.

– Chiedetemi quel che volete, dottore, – disse il Re, – tutte le ricchezze del tesoro dello Stato sono per voi.

– Non voglio danari, – disse il dottore, – datemi solo lo scudo del Principe con lo stemma della famiglia, la bandiera del Principe e il suo giubbetto giallo, quello trafitto e insanguinato –. E avuti questi tre oggetti se ne andò.

Dopo tre giorni, il figlio del Re era di nuovo a caccia. Passò sotto il castello in mezzo al bosco ma non levò neppure gli occhi alla finestra della Principessa. Lei prese subito il libro, lo sfogliò, e il Principe, sebbene tutto contrariato, fu obbligato a trasformarsi in canarino. Volò nella stanza e la Principessa lo fece ritrasformare in uomo. – Lasciami andare, – disse lui, – non ti basta avermi fatto trafiggere dai tuoi spilloni e avermi causato tante sofferenze? – Infatti il Principe aveva perso ogni amore per la ragazza, pensando che lei fosse la causa della sua disgrazia.

La ragazza era lí lí per svenire. – Ma io t'ho salvato! Sono io che t'ho guarito!

– Non è vero, – disse il Principe. – Chi m'ha salvato è un medico forestiero, che non ha voluto altra ricompensa che il mio stemma, la mia bandiera e il mio giubbetto insanguinato!

– Ecco il tuo stemma, ecco la tua bandiera, ed ecco il tuo giubbetto! Ero io quel medico! Gli spilli erano una crudeltà della mia matrigna!

Il Principe la guardò un momento negli occhi stupefatto. Mai gli era parsa cosí bella. Cadde ai suoi piedi

44

chiedendole perdono, e dicendole tutta la sua gratitudine e il suo amore.

La sera stessa disse a suo padre che voleva sposare la ragazza del castello nel bosco. – Tu devi sposar solo la figlia d'un Re o d'un Imperatore, – disse il padre.

– Sposo la donna che m'ha salvato la vita.

E si prepararono le nozze, con l'invito per tutti i Re e le Regine dei dintorni. Venne anche il Re padre della Principessa, senza saper nulla. Quando vide venir avanti la sposa: – Figlia mia! – esclamò.

– Come? – disse il Re padron di casa. – La sposa di mio figlio è vostra figlia? E perché non ce l'ha detto?

– Perché, – disse la sposa, – non mi considero piú figlia d'un uomo che m'ha lasciato imprigionare dalla mia matrigna, – e puntò l'indice contro la Regina.

Il padre, a sentire tutte le disgrazie della figlia, fu preso dalla commozione per lei e dallo sdegno per la sua perfida moglie. E non aspettò nemmeno d'essere tornato a casa per farla arrestare. Cosí le nozze furono celebrate con soddisfazione e letizia di tutti, tranne che di quella sciagurata.

(Torino).

10

Re Crin

Una volta c'era un Re che per figlio aveva un porco, che lo chiamavano Re Crin. Re Crin passeggiava per i reali appartamenti e di solito era molto educato, come si conviene a un reale personaggio, ma di tanto in tanto si metteva a far dispetti. Gli disse il padre, carezzandolo sulla groppa: – Cos'hai, che sei cosí cattivo, cos'hai?

Re Crin si mise a grugnire: – Eu, eu, voglio moglie, eu eu, voglio la figlia del panettiere!

Il Re mandò a chiamare il panettiere, che aveva tre figlie, e gli chiese se sua figlia maggiore era disposta a sposare il suo figliolo porco. La figlia, tra il piacere di sposare il figlio del Re e il dispiacere di sposare un porco, si decise per il sí.

La sera delle nozze, Re Crin tutto soddisfatto andò a spasso per le vie della città e si sporcò tutto. Tornò nella sala dove la sposa l'attendeva e con l'aria di farle delle carezze le si strofinò contro la sottana. La sposa, disgustata, invece d'accarezzarlo gli diede un calcio. – Fatti in là, brutto porco!

Re Crin s'allontanò grugnendo: – Eu! me la pagherai!

E quella notte la sposa fu trovata morta nel suo letto.

Il vecchio Re fu molto addolorato, ma dopo pochi mesi, visto che il figlio s'era messo di nuovo in testa di prender moglie, e non faceva che dispetti, e grugniva: – Eu, eu, eu! Voglio la figlia del panettiere! – si decise a chiamare la seconda figlia del panettiere, e lei disse di sí.

La sera delle nozze, Re Crin tornò a sporcarsi per le strade e poi a strofinarsi contro la sposa, che lo scacciò dicendo: – Fatti in là, brutto porco! – E il mattino dopo fu trovata morta. Questo fatto a Corte fece una gran brutta impressione, perché era già la seconda.

Passò del tempo, e di nuovo Re Crin prese a fare il cattivo in casa. – Avresti il coraggio di chiedere la terza figlia del panettiere?

E lui: – Eu, eu, e io la voglio! Eu, eu, e io la voglio!

Fecero la prova di far chiamare questa terza figlia, per dirle se voleva sposare Re Crin. E si vide che lei era ben contenta. La sera delle nozze, come al solito, Re Crin andò a sporcarsi per le strade e poi cosí com'era corse a far carezze alla sua signora. E lei prese a carezzarlo, ad asciugarlo con fini fazzoletti di batista, dicendo: – Mio bel Crin, caro il mio bel Crin, ti voglio già tanto bene –. E Re Crin era tutto contento.

Alla mattina a Corte tutti s'aspettavano la notizia che la terza sposa fosse morta, invece la trovarono piú ardita e allegra di prima. Quello fu un gran giorno di festa per la Casa reale, e il Re diede un ricevimento.

La notte dopo, alla sposa venne la curiosità di vedere Re Crin mentre dormiva, perché le era venuta un'idea in testa. Accese un cerino, e vide un bel giovanotto, che piú bello non si poteva immaginare. Ma mentre lo stava guardando, il cerino le cade di mano, e cade sul braccio del giovane. Egli si svegliò, e pieno di collera saltò giú dal letto e gridò: – Hai rotto l'incantesimo e non mi vedrai piú! O se mi vorrai rivedere dovrai riempire sette fiaschi di lagrime e consumare sette paia di scarpe di ferro, sette mantelli di ferro e sette cappelli di ferro! – e scomparve.

La sposa rimase cosí addolorata, che non poteva stare

senza andarlo a cercare. Si fece fare da un fabbro sette
paia di scarpe di ferro, sette mantelli di ferro e sette cappelli di ferro e partí.

Cammina cammina, venne notte mentr'era su una
montagna. Vide una casetta, e bussò. – Povera ragazza, – le disse una vecchia. – Non posso alloggiarti,
perché mio figlio è il Vento e quando viene a casa butta
tutto sottosopra e guai se ti trova!

Ma lei tanto la pregò che la vecchia la nascose in casa,
e quando venne il Vento e annusava intorno dicendo:

Fum, fum,
Sento odor di cristianum,

gli diede da mangiare e lo calmò. Al mattino la madre
del Vento s'alzò presto e svegliò pian piano la giovane:
– Scappa, prima che mio figlio si levi, e per mio ricordo prendi questa castagna e non aprirla se non in caso
di gran necessità.

Cammina cammina, le venne notte in cima a un'altra
montagna. Vide una casetta, e una vecchia sulla porta
le disse: – Sí, ti alloggerei ben volentieri, ma sono la
madre del Fulmine, e quando viene mio figlio, sei bel-
l'andata –. Ma poi, presa dalla compassione, la nascose, e quando venne il Fulmine:

Fum fum,
Sento odor di cristianum,

ma non la trovò, mangiò e andò a dormire.

– Scappa prima che mio figlio si ridesti, – le disse la
madre del Fulmine al mattino, – e tieni questa noce
che ti potrà ben servire.

Cammina cammina, le venne notte in cima a un'altra
montagna. C'era la casa della madre del Tuono che finí
per nasconderla. E anche lí:

Fum, fum,
Sento odor di cristianum,

48

ma non la trovò, e al mattino la giovane partí con una nocciola come regalo della madre del Tuono.

Dopo aver tanto camminato arrivò in una città e le dissero che la Principessa di quella città si sarebbe presto sposata con un bel giovanotto che stava con lei nel castello. La giovane si mise in testa che il giovanotto doveva essere il suo sposo. Ma come fare a mandare a monte quel matrimonio? E come fare a entrare nel castello?

Aperse la castagna e ne uscirono una gran quantità di gioielli e di diamanti: e li andò a vendere sotto il palazzo della Principessa. La Principessa s'affacciò e la fece salire. Lei le disse: – Io le do tutta questa roba per niente, basta che mi lasci dormire una notte nella stanza di quel giovanotto che sta nel suo palazzo.

La Principessa aveva paura che la giovane gli parlasse e magari lo facesse scappare con lei, ma la sua fantesca[1] le disse: – Lasci fare a me. Gli daremo l'indormia[2] e lui non si sveglierà –. Cosí fecero, e mentre il bel giovanotto era già addormentato, la fantesca accompagnò la giovane nella stanza e la lasciò lí. E la giovane vide coi suoi occhi che quello era proprio il suo sposo. Cominciò a dirgli: – Svegliati, sposo mio, svegliati! Ho tanto camminato, ho logorato sette paia di scarpe di ferro, sette mantelli di ferro, sette cappelli di ferro, e ho pianto sette fiaschi di lagrime. E ora che t'ho trovato, tu dormi e non mi senti!

E cosí durò fino al mattino. Al mattino, disperata, ruppe la noce. Ne uscirono dei bei vestiti, drappi di seta, una cosa piú bella dell'altra. Vedendo tutte quelle meraviglie, la fantesca andò a dirlo alla Principessa e la Principessa, pur d'aver tutta quella roba, la lasciò stare ancora una notte col giovane, ma le accorciò il tempo

1. Serva.
2. *L'ndurmia* (dial. piemontese): «sonnifero».

facendola entrare nella stanza piú tardi e uscire di buon'ora.

Anche quella notte tutto fu inutile: il giovane non si svegliava. La poverina ruppe la nocciola e saltarono fuori carrozze, vetture e cavalli. Ancora una volta, per averle, la Principessa la lasciò passare una notte col giovanotto.

Ma questa volta lui s'era stancato di bere quel bicchiere che gli portavano ogni sera, e fece finta di berlo, ma lo buttò in terra. E mentre la giovane parlava, lui per un po' fece finta di dormire, poi, quando fu ben sicuro che era lei, saltò su e l'abbracciò. Con tutte quelle vetture e quei cavalli partirono e tornarono a casa loro e fecero una festa.

Con gran lusso e spatusso,
E a me mi lasciarono dietro l'uscio.

(Colline del Po).

II.

Il linguaggio degli animali

Un ricco mercante aveva un figliolo a nome Bobo, sveglio d'ingegno e con gran voglia d'imparare. Il padre lo affidò a un maestro assai dotto, perché gl'insegnasse tutte le lingue.

Finiti gli studi, Bobo tornò a casa e una sera passeggiava col padre pel giardino. Su un albero, gridavano i passeri: un cinguettío da assordare. – Questi passeri mi rompono i timpani ogni sera, – disse il mercante tappandosi le orecchie.

E Bobo: – Volete che vi spieghi cosa stanno dicendo?

Il padre lo guardò stupito. – Come vuoi sapere cosa dicono i passeri? Sei forse un indovino?

– No, ma il maestro m'ha insegnato il linguaggio di tutti gli animali.

– Oh, li ho spesi bene i miei soldi! – disse il padre. – Cosa ha capito quel maestro? Io volevo che t'insegnasse le lingue che parlano gli uomini, non quelle delle bestie!

– Le lingue degli animali sono piú difficili, e il maestro ha voluto cominciare da quelle.

Il cane correva loro incontro abbaiando. E Bobo: – Volete che vi spieghi cosa dice?

– No! Lasciami in pace col tuo linguaggio da bestie! Poveri soldi miei!

Passeggiavano lungo il fossato, e cantavano le rane.

– Anche le rane ci mancavano a tenermi allegro... – brontolava il padre.

– Padre, volete che vi spieghi... – cominciò Bobo.

– Va' al diavolo tu e chi t'ha insegnato!

E il padre, irato d'aver buttato via i quattrini per educare il figlio, e con l'idea che questa sapienza del linguaggio animale fosse una mala arte, chiamò due servi e disse loro cosa dovevano fare l'indomani.

Alla mattina, Bobo fu svegliato, uno dei servi lo fece montare in carrozza e gli si sedette vicino; l'altro, a cassetta, frustò i cavalli e partirono al galoppo. Bobo non sapeva nulla di quel viaggio, ma vede che il servitore accanto a lui aveva gli occhi tristi e gonfi. – Dove andiamo? – gli chiese. – Perché sei cosí triste? – ma il servitore taceva.

Allora i cavalli cominciarono a nitrire, e Bobo capí che dicevano: – Triste viaggio è il nostro, portiamo alla morte il padroncino.

E l'altro rispondeva: – Crudele è stato l'ordine di suo padre.

– Dunque, voi avete l'ordine da mio padre di portarmi a uccidere? – disse Bobo ai servitori.

I servitori trasalirono: – Come lo sapete? – chiesero.

– Me l'han detto i cavalli, – disse Bobo. – Allora uccidetemi subito. Perché farmi penare aspettando?

– Noi non abbiamo cuore di farlo, – dissero i servitori. – Pensiamo al modo di salvarvi.

In quella li raggiunse abbaiando il cane, che era corso dietro la carrozza. E Bobo intese che diceva: – Per salvare il mio padroncino darei la mia vita!

– Se mio padre è crudele, – disse Bobo, – ci sono pure creature fedeli; voi, miei cari servitori, e questo cane che si dice pronto a dar la vita per me.

– Allora, – dissero i servitori, – uccidiamo il cane, e portiamo il suo cuore al padrone. Voi, padroncino, fuggite.

Bobo abbracciò i servi e il cane fedele e se ne andò alla ventura. Alla sera giunse a una cascina e domandò ricovero ai contadini. Erano seduti a cena, quando dal cortile venne il latrare del cane. Bobo stette ad ascoltare alla finestra, poi disse: – Fate presto, mandate a letto donne e figli, e voi armatevi fino ai denti e state in guardia. A mezzanotte verrà una masnada di malandrini ad assalirvi.

I contadini credevano che gli desse di volta il cervello. – Ma come lo sapete? Chi ve l'ha detto?

– L'ho saputo dal cane che latrava per avvertirvi. Povera bestia, se non c'ero io avrebbe sprecato il fiato. Se m'ascoltate, siete salvi.

I contadini, coi fucili, si misero in agguato dietro una siepe. Le mogli e i figli si chiusero in casa. A mezzanotte s'ode un fischio, poi un altro, un altro ancora; poi un muoversi di gente. Dalla siepe uscí una scarica di piombo. I ladri si diedero alla fuga; due restarono secchi nel fango, coi coltelli in mano.

A Bobo furono fatte grandi feste, e i contadini volevano si fermasse con loro, ma lui prese commiato, e continuò il suo viaggio.

Cammina cammina, a sera arriva a un'altra casa di contadini. È incerto se bussare o non bussare, quando sente un gracidare di rane nel fosso. Sta ad ascoltare; dicevano: – Dài, passami l'ostia! A me! A me! Se non mi lanciate mai l'ostia a me, non gioco piú! Tu non la prendi e si rompe! L'abbiamo serbata intera per tanti anni! – S'avvicina e guarda: le rane giocavano a palla con un'ostia sacra. Bobo si fece il segno della croce.

– Sei anni, sono, ormai, che è qui nel fosso! – disse una rana.

– Da quando la figlia del contadino fu tentata dal demonio, e invece di far la comunione nascose in tasca l'ostia, e poi ritornando dalla chiesa, la buttò qui nel fosso.

Bobo bussò alla casa. L'invitarono a cena. Parlando col contadino, apprese che egli aveva una figlia, malata da sei anni, ma nessun medico sapeva di che malattia, e ormai era in fin di vita.

– Sfido! – disse Bobo. – È Dio che la punisce. Sei anni fa ha buttato nel fosso l'ostia sacra. Bisogna cercare quest'ostia, e poi farla comunicare devotamente; allora guarirà.

Il contadino trasecolò. – Ma da chi sapete tutte queste cose?

– Dalle rane, – disse Bobo.

Il contadino, pur senza capire, frugò nel fosso, trovò l'ostia, fece comunicare la figlia, e lei guarí. Bobo non sapevano come compensarlo, ma lui non volle niente, prese commiato, e andò via.

Un giorno di gran caldo, trovò due uomini che riposavano all'ombra d'un castagno. Si sdraiò accanto a loro e chiese di far loro compagnia. Presero a discorrere:
– Dove andate, voi due?

– A Roma, andiamo. Non sapete che è morto il Papa e si elegge il Papa nuovo?

Intanto, sui rami del castagno venne a posarsi un volo di passeri. – Anche questi passeri stanno andando a Roma, – disse Bobo.

– E come lo sapete? – chiesero quei due.

– Capisco il loro linguaggio, – disse Bobo. Tese l'orecchio, e poi: – Sapete cosa dicono?

– Cosa?

– Dicono che sarà eletto Papa uno di noi tre.

A quel tempo, per eleggere il Papa si lasciava libera una colomba che volasse nella piazza di San Pietro piena di gente. L'uomo sul cui capo si sarebbe posata la colomba, doveva essere eletto Papa. I tre arrivarono nella piazza gremita e si cacciarono in mezzo alla folla. La colomba volò, volò, e si posò sulla testa di Bobo.

In mezzo a canti e grida d'allegrezza fu issato sopra

un trono e vestito d'abiti preziosi. S'alzò per benedire e nel silenzio che s'era fatto nella piazza s'udí un grido. Un vecchio era caduto a terra come morto. Accorse il nuovo Papa e nel vecchio riconobbe suo padre. Il rimorso l'aveva ucciso e fece appena in tempo a chiedere perdono al figlio, per spirare poi tra le sue braccia.

Bobo gli perdonò, e fu uno dei migliori papi che ebbe mai la Chiesa.

(Mantova).

12

Il contadino astrologo

Un Re aveva perduto un anello prezioso. Cerca qua, cerca là, non si trova. Mise fuori un bando che se un astrologo gli sa dire dov'è, lo fa ricco per tutta la vita. C'era un contadino senza un soldo, che non sapeva né leggere né scrivere, e si chiamava Gàmbara. «Sarà tanto difficile fare l'astrologo? – si disse. – Mi ci voglio provare». E andò dal Re.

Il Re lo prese in parola, e lo chiuse a studiare in una stanza. Nella stanza c'era solo un letto e un tavolo con un gran libraccio d'astrologia, e penna carta e calamaio. Gàmbara si sedette al tavolo e cominciò a scartabellare il libro senza capirci niente e a farci dei segni con la penna. Siccome non sapeva scrivere, venivano fuori dei segni ben strani, e i servi che entravano due volte al giorno a portargli da mangiare, si fecero l'idea che fosse un astrologo molto sapiente.

Questi servi erano stati loro a rubare l'anello, e con la coscienza sporca che avevano, quelle occhiatacce che loro rivolgeva Gàmbara ogni volta che entravano, per darsi aria d'uomo d'autorità, parevano loro occhiate di sospetto. Cominciarono ad aver paura d'essere scoperti, e non la finivano piú con le riverenze, le attenzioni: «Sí, signor astrologo! Comandi, signor astrologo!»

Gàmbara, che astrologo non era, ma contadino, e perciò malizioso, subito aveva pensato che i servi dovessero saperne qualcosa dell'anello. E pensò di farli cascare in un inganno.

Un giorno, all'ora in cui gli portavano il pranzo, si nascose sotto il letto. Entrò il primo dei servi e non vide nessuno. Di sotto il letto, Gàmbara disse forte: – E uno! – il servo lasciò il piatto e si ritirò spaventato.

Entrò il secondo servo, e sentí quella voce che pareva venisse di sottoterra: – E due! – e scappò via anche lui.

Entrò il terzo: – E tre!

I servi si consultarono: – Ormai siamo scoperti, se l'astrologo ci accusa al Re, siamo spacciati.

Cosí decisero d'andare dall'astrologo e confessargli il furto. – Noi siamo povera gente, – gli fecero, – e se dite al Re quel che avete scoperto, siamo perduti. Eccovi questa borsa d'oro: vi preghiamo di non tradirci.

Gàmbara prese la borsa e disse: – Io non vi tradirò, però voi fate quel che vi dico. Prendete l'anello e fatelo inghiottire a quel tacchino che c'è laggiú in cortile. Poi lasciate fare a me.

Il giorno dopo Gàmbara si presentò al Re e gli disse che dopo lunghi studi era riuscito a sapere dov'era l'anello.

– E dov'è?

– L'ha inghiottito un tacchino.

Fu sventrato il tacchino e si trovò l'anello. Il Re colmò di ricchezze l'astrologo e diede un pranzo in suo onore, con tutti i Conti, i Marchesi, i Baroni e i Grandi del Regno.

Tra le tante pietanze fu portato in tavola un piatto di gamberi. Bisogna sapere che in quel paese non si conoscevano i gamberi, e quella era la prima volta che se ne vedevano, regalo d'un Re d'altro paese.

– Tu che sei astrologo, – disse il Re al contadino, – dovresti sapermi dire come si chiamano questi che sono qui nel piatto.

Il poveretto di bestie cosí non ne aveva mai viste né

sentite nominare. E disse tra sé, a mezza voce: – Ah, Gàmbara, Gàmbara. Sei finito male.

– Bravo! – disse il Re, che non sapeva il vero nome del contadino. – Hai indovinato: quello è il nome: gamberi! Sei il piú grande astrologo del mondo.

(Mantova).

13

Il paese dove non si muore mai

Un giorno, un giovane disse: – A me questa storia che tutti devono morire mi piace poco: voglio andare a cercare il paese dove non si muore mai.

Saluta padre, madre, zii e cugini, e parte. Cammina giorni, cammina mesi, e a tutti quelli che incontrava domandava se sapevano insegnargli il posto dove non si muore mai: ma nessuno lo sapeva. Un giorno incontrò un vecchio, con una barba bianca fino al petto, che spingeva una carriola carica di pietre. Gli domandò:
– Sapete insegnarmi dov'è il posto in cui non si muore mai?

– Non vuoi morire? Stattene con me. Finché non ho finito di trasportare con la mia carriola tutta quella montagna a pietra a pietra, non morirai.

– E quanto tempo ci metterete a spianarla?

– Cent'anni, ci metterò.

– E poi dovrò morire?

– E sí.

– No, non è questo il posto per me: voglio andare in un posto dove non si muoia mai.

Saluta il vecchio e tira dritto. Cammina cammina, e arriva a un bosco cosí grande che pareva senza fine. C'era un vecchio con la barba fino all'ombelico, che con una roncola tagliava rami. Il giovane gli domandò:
– Per piacere, un posto dove non si muoia mai, me lo sapete dire?

– Sta' con me, – gli disse il vecchio. – Se prima non

ho tagliato tutto il bosco con la mia roncola, non morirai.

– E quanto ci vorrà?

– Mah! Duecento anni.

– E dopo dovrò morire lo stesso?

– Sicuro. Non ti basta?

– No, non è questo il posto per me: vado in cerca d'un posto dove non si muoia mai.

Si salutarono, e il giovane andò avanti. Dopo qualche mese, arrivò in riva al mare. C'era un vecchio con la barba fino ai ginocchi, che guardava un'anatra bere l'acqua del mare.

– Per piacere, lo sapete un posto dove non si muore mai?

– Se hai paura di morire, sta' con me. Guarda: finché questa anatra non avrà asciugato questo mare col suo becco, non morirai.

– E quanto tempo ci vorrà?

– A occhio e croce, un trecento anni.

– E dopo bisognerà che muoia?

– E come vuoi fare? Quanti anni ancora vorresti scampartela?

– No: neanche questo posto fa per me; devo andare là dove non si muore mai.

Si rimise per via. Una sera, arrivò a un magnifico palazzo. Bussò, e gli aperse un vecchio con la barba fino ai piedi: – Cosa volete, bravo giovane?

– Vado in cerca del posto dove non si muore mai.

– Bravo, capiti bene. È questo il posto dove non si muore mai. Finché starai qui con me, sarai sicuro di non morire.

– Finalmente! Ne ho fatti di giri! Questo è proprio il posto che cercavo! Ma lei, poi, è contento che stia qui?

– Ma sí, contentone, anzi: mi fai compagnia.

Cosí il giovane si stabilí nel palazzo con quel vecchio,

e faceva vita da signore. Passavano gli anni che nessuno se n'accorgeva: anni, anni, anni. Un giorno il giovane disse al vecchio: – Perbacco, qua con lei ci sto proprio bene, ma avrei voglia d'andare a vedere un po' cosa ne è dei miei parenti.

– Ma che parenti vuoi andare a vedere? A quest'ora sono morti tutti da un bel pezzo.

– Be', cosa vuole che le dica? Ho voglia d'andare a vedere i miei posti, e chissà che non incontri i figli dei figli dei miei parenti.

– Se proprio ci hai quest'idea in testa, t'insegnerò come devi fare. Va' in stalla, prendi il mio cavallo bianco, che ha la virtú di andare come il vento, ma ricordati di non scendere mai di sella, per nessuna ragione, perché se scendi muori subito.

– Stia tranquillo che non smonto: ho troppa paura di morire!

Andò alla stalla, tirò fuori il cavallo bianco, montò in sella, e via come il vento. Passa nel posto in cui aveva incontrato il vecchio con l'anatra: dove prima era il mare ora si estendeva una gran prateria. Da una parte c'era un mucchio d'ossa: erano le ossa del vecchio. «Guarda un po', – si disse il giovane, – ho fatto bene a tirare dritto; se stavo con quello là a quest'ora ero morto anch'io!»

Continuò la sua strada. Dov'era quel gran bosco che un vecchio doveva tagliare con la roncola, ora era nudo e pelato: non si vedeva piú neanche un albero. «Anche con questo qui, – pensò il giovane, – sarei bell'e morto da un pezzo!»

Passò dal posto dov'era quella gran montagna che un vecchio doveva portar via pietra per pietra: adesso c'era una pianura piatta come un biliardo.

– Altro che morto, sarei, con questo qui!

Va e va e arriva al suo paese, ma era tanto cambiato che non lo riconosceva piú. Cerca casa sua, ma non c'è neanche piú la strada. Domanda dei suoi, ma il suo cognome nessuno l'aveva mai inteso. Ci restò male. «Tanto vale che torni indietro subito», si disse.

Girò il cavallo, e prese la via del ritorno. Non era nemmeno a mezza strada che incontrò un carrettiere, che conduceva un carro carico di scarpe vecchie, tirato da un bue. – Signore, mi faccia la carità! – disse il carrettiere. – Scenda un momento, e m'aiuti ad alzare questa ruota, che m'è andata giú dalla carreggiata.

– Ho fretta, non posso scendere di sella, – disse il giovane.

– Mi faccia questa grazia, vede che sono solo, ora viene sera...

Il giovane si lasciò impietosire, e smontò. Aveva ancora un piede sulla staffa e un piede già in terra, quando il carrettiere l'abbrancò per un braccio e disse: – Ah! finalmente t'ho preso! Sai chi sono? Son la Morte! Vedi tutte quelle scarpe sfondate lí nel carro? Sono tutte quelle che m'hai fatto consumare per correrti dietro. Adesso ci sei cascato! Tutti dovrete finire nelle mie mani, non c'è scampo!

E al povero giovane toccò di morire anche a lui.

(Verona).

62

14.
Le tre vecchie

C'era una volta tre sorelle, giovani tutte e tre: una aveva sessantasette anni, l'altra settantacinque e la terza novantaquattro. Dunque queste ragazze avevano una casa con un bel terrazzino, e questo terrazzino in mezzo aveva un buco, per vedere la gente che passava in strada. Quella di novantaquattro anni vide passare un bel giovane; subito, prese il suo fazzolettino piú fino e profumato e mentre il giovane passava sotto il terrazzino lo lasciò cadere. Il giovane raccolse il fazzolettino, sentí quell'odore soave e pensò: «Dev'essere d'una bellissima fanciulla». Fece qualche passo, poi tornò indietro, e suonò la campanella di quella casa. Venne ad aprire una delle tre sorelle, e il giovane le chiese: – Per piacere, ci sarebbe una ragazza in questo palazzo?

– Signorsí, e non una sola!

– Mi faccia un piacere: io vorrei vedere quella che ha perduto questo fazzoletto.

– No, sa, non è permesso, – rispose quella, – in questo palazzo si usa che fin che una non è sposata, non la si può vedere.

Il giovane s'era già tanto montato la testa immaginandosi la bellezza di questa ragazza, che disse: – Tanto è, tanto basta. La sposerò anche senza vederla. Ora andrò da mia madre a dirle che ho trovato una bellissima giovane e la voglio sposare.

Andò a casa, e raccontò tutto a sua madre, che gli

disse: – Caro figlio, sta' attento a quel che fai, ché non t'abbiano a ingannare. Prima di fare una cosa cosí bisogna pensarci bene.

E lui: – Tanto è, tanto basta. Parola di Re non torna piú indietro –. Perché quel giovane era un Re.

Torna a casa della sposa, suona il campanello e va su. Viene la solita vecchia e lui domanda: – In grazia, lei è sua nonna?

– E già, e già: sua nonna.

– Dato che è sua nonna, mi faccia questo piacere: mi mostri almeno un dito di quella ragazza.

– Per ora no. Bisogna che venga domani.

Il giovane salutò e andò via. Appena egli fu uscito, le vecchie fabbricarono un dito finto, con un dito di guanto e un'unghia posticcia. Intanto lui dal desiderio di vedere questo dito, non riuscí a dormire la notte. Venne giorno, si vestí, corse alla casa.

– Padrona, – disse alla vecchia, – son qui: sono venuto per vedere quel dito della mia sposa.

– Sí, sí, – disse lei, – subito, subito. Lo vedrà per questo buco della porta.

E la sposa mise fuori il finto dito dalla toppa. Il giovane vide che era un bellissimo dito; gli diede un bacio e gli mise un anello di diamanti. Poi, innamorato furioso, disse alla vecchia: – Lei sa, nonna, che io voglio sposare al piú presto, non posso piú aspettare.

E lei: – Anche domani, se vuole.

– Bene! E io sposo domani, parola di Re!

Ricchi com'erano, potevano far apparecchiare le nozze da un giorno all'altro, tanto non gli mancava niente; e il giorno dopo la sposa si preparava aiutata dalle due sorelline. Arrivò il Re e disse: – Nonna, son qua.

– Aspetti qua un momento, che ora gliela accompagniamo.

E le due vecchie vennero tenendo sottobraccio la terza, coperta da sette veli. – Si ricordi bene, – dissero allo sposo, – che finché non sarete nella camera nuziale, non è permesso vederla.

Andarono in chiesa e si sposarono. Poi il Re voleva che si andasse a pranzo, ma le vecchie non lo permisero. – Sa, la sposa a queste cose non è abituata –. E il Re dovette tacere. Non vedeva l'ora che venisse la sera, per restare solo con la sposa. Ma le vecchie accompagnarono la sposa in camera e non lo lasciarono entrare perché avevano da spogliarla e da metterla a letto. Finalmente lui entrò, sempre con le due vecchie dietro, e la sposa era sotto le coperte. Lui si spogliò e le vecchie se ne andarono portandogli via il lume. Ma lui s'era portato in tasca una candela, l'accese e chi si trovò davanti? Una vecchia decrepita e grinzosa!

Dapprima restò immobile e senza parola dallo spavento; poi gli pigliò una rabbia, una rabbia, che afferrò la sposa di violenza, la sollevò, e la fece volar dalla finestra.

Sotto la finestra c'era il pergolato d'una vigna. La vecchia sfondò il pergolato e rimase appesa a un palo per un lembo della camicia da notte.

Quella notte tre Fate andavano a passeggio pei giardini: passando sotto il pergolato videro la vecchia penzoloni. A quello spettacolo inatteso, tutte e tre le Fate scoppiarono a ridere, a ridere, a ridere, che alla fine le dolevano i fianchi. Ma quando ebbero riso ben bene, una di loro disse: – Adesso che abbiamo tanto riso alle sue spalle, bisogna che le diamo una ricompensa.

E una delle Fate fece: – Certo che gliela diamo. Comando, comando, che tu diventi la piú bella giovane che si possa vedere con due occhi.

– Comando, comando, – disse un'altra Fata, – che tu abbia un bellissimo sposo che t'ami e ti voglia bene.

– Comando, comando, – disse la terza, – che tu sia una gran signora per tutta la vita.

E le tre Fate se ne andarono.

Appena venne giorno, il Re si svegliò e si ricordò tutto. A sincerarsi che non fosse stato tutto un brutto sogno, aperse le finestre per vedere quel mostro che aveva buttato giú la sera prima. Ed ecco che vede, posata sul pergolato della vigna, una bellissima giovane. Si mise le mani nei capelli.

– Povero me, cos'ho fatto! – Non sapeva come fare a tirarla su; alla fine prese un lenzuolo dal letto, gliene lanciò un capo perché s'aggrappasse, e la tirò su nella stanza. E quando l'ebbe vicina, felice e insieme pieno di rimorso, cominciò a chiederle perdono. La sposa gli perdonò e cosí stettero in buona compagnia.

Dopo un po' si sentí bussare. – È la nonna, – disse il Re. – Avanti, avanti!

La vecchia entrò e vide nel letto, al posto della sorella di novantaquattro anni, quella bellissima giovane. E questa bellissima giovane, come niente fosse, le disse: – Clementina, portami il caffè.

La vecchia si mise una mano sulla bocca per soffocare un grido di stupore; fece finta di niente, e le portò il caffè. Ma appena il Re se ne uscí per i suoi affari, corse dalla sposa e le chiese: – Ma com'è, com'è che sei diventata cosí giovane?

E la sposa: – Zitta, zitta, per carità! Sapessi cos'ho fatto! Mi sono fatta piallare!

– Piallare! Dimmi, dimmi! Da chi? Che mi voglio far piallare anch'io.

– Dal falegname!

La vecchia corse giú dal falegname. – Falegname, me la date una piallata?

E il falegname: – Oh, perbacco: va bene che lei è secca come un asse, ma se la piallo va all'altro mondo.

– Non stateci a pensare, voi.

– E come: non ci penso? E quando l'avrò ammazzata?

– Non stateci a pensare, ho detto. Vi do un tallero.

Quando sentí dire «tallero» il falegname cambiò idea. Prese il tallero e disse: – Si stenda qui sul banco che di piallate gliene do quante ne vuole, – e cominciò a piallare su una ganascia.

La vecchia lanciò un urlo.

– E com'è? Se grida, non se ne fa niente.

Lei si voltò dall'altra parte, e il falegname le piallò l'altra ganascia. La vecchia non gridò piú: era già morta stecchita.

Dell'altra non s'è mai saputo che fine abbia fatto. Se sia annegata, scannata, morta nel suo letto o chissà dove: non s'è riuscito a sapere.

E la sposa restò sola in casa col·giovane Re, e sono stati sempre felici.

(Venezia).

15

Il Principe granchio

Una volta c'era un pescatore che non riusciva mai a pescare abbastanza da comprare la polenta per la sua famigliola. Un giorno, tirando le reti, sentí un peso da non poterlo sollevare, tira e tira ed era un granchio cosí grosso che non bastavano due occhi per vederlo tutto.
– Oh, che pesca ho fatto, stavolta! Potessi comprarmici la polenta per i miei bambini!

Tornò a casa col granchio in spalla, e disse alla moglie di mettere la pentola al fuoco che sarebbe tornato con la polenta. E andò a portare il granchio al palazzo del Re.

– Sacra Maestà, – disse al Re, – sono venuto a vedere se mi fa la grazia di comprarmi questo granchio. Mia moglie ha messo la pentola al fuoco ma non ho i soldi per comprare la polenta.

Rispose il Re: – Ma cosa vuoi che me ne faccia di un granchio? Non puoi andarlo a vendere a qualcun altro?

In quel momento entrò la figlia del Re: – Oh che bel granchio, che bel granchio! Papà mio, compramelo, compramelo, ti prego. Lo metteremo nella peschiera insieme con i cefali e le orate.

Questa figlia del Re aveva la passione dei pesci e se ne stava delle ore seduta sull'orlo della peschiera in giardino, a guardare i cefali e le orate che nuotavano. Il padre non vedeva che per i suoi occhi e la contentò. Il pescatore mise il granchio nella peschiera e ricevet-

te una borsa di monete d'oro che bastava a dar polenta per un mese ai suoi figlioli.

La Principessa non si stancava mai di guardare quel
granchio e non s'allontanava mai dalla peschiera. Aveva imparato tutto di lui, delle abitudini che aveva, e sapeva anche che da mezzogiorno alle tre spariva e non si
sapeva dove andasse. Un giorno la figlia del Re era lí a
contemplare il suo granchio, quando sentí suonare la
campanella. S'affacciò al balcone e c'era un povero vagabondo che chiedeva la carità. Gli buttò una borsa di
monete d'oro, ma il vagabondo non fu lesto a prenderla al volo e gli cadde in un fosso. Il vagabondo scese nel
fosso per cercarla, si cacciò sott'acqua e si mise a nuotare. Il fosso comunicava con la peschiera del Re attraverso un canale sotterraneo che continuava fino a chissà dove. Seguitando a nuotare sott'acqua, il vagabondo
si trovò in una bella vasca, in mezzo a una gran sala sotterranea tappezzata di tendaggi, e con una tavola imbandita. Il vagabondo uscí dalla vasca e si nascose dietro i tendaggi. A mezzogiorno in punto, nel mezzo della vasca spuntò fuori dall'acqua una Fata seduta sulla
schiena d'un granchio. La Fata e il granchio saltarono
nella sala, la Fata toccò il granchio con la sua bacchetta,
e dalla scorza del granchio uscí fuori un bel giovane. Il
giovane si sedette a tavola, la Fata batté la bacchetta,
e nei piatti comparvero le vivande e nelle bottiglie il vino. Quando il giovane ebbe mangiato e bevuto, tornò
nella scorza di granchio, la Fata lo toccò con la bacchetta e il granchio la riprese in groppa, s'immerse nella vasca e scomparve con lei sott'acqua.

Allora il vagabondo uscí da dietro ai tendaggi, si tuffò anche lui nella vasca e nuotando sott'acqua andò a
sbucare nella peschiera del Re. La figlia del Re che era
lí a guardare i suoi pesci, vide affiorare la testa del vagabondo e disse: – Oh: cosa fate voi qui?

– Taccia, padroncina, – le disse il vagabondo, – ho

da raccontarle una cosa meravigliosa –. Uscí fuori e le raccontò tutto.

– Adesso capisco dove va il granchio da mezzogiorno alle tre! – disse la figlia del Re. – Bene, domani a mezzogiorno andremo insieme a vedere.

Cosí l'indomani, nuotando per il canale sotterraneo, dalla peschiera arrivarono alla sala e si nascosero tutti e due dietro i tendaggi. Ed ecco che a mezzogiorno spunta fuori la Fata in groppa al granchio. La Fata batte la bacchetta e dalla scorza del granchio esce fuori il bel giovane e va a mangiare. Alla Principessa, se il granchio già le piaceva, il giovane uscito dal granchio le piaceva ancora di piú, e subito se ne sentí innamorata.

E vedendo che vicino a lei giaceva la scorza del granchio vuota, ci si cacciò dentro, senza farsi vedere da nessuno.

Quando il giovane rientrò nella scorza di granchio ci trovò dentro quella bella ragazza. – Cos'hai fatto? – le disse, sottovoce, – se la Fata se n'accorge ci fa morire tutt'e due.

– Ma io voglio liberarti dall'incantesimo! – gli disse, anche lei pianissimo, la figlia del Re. – Insegnami cosa devo fare.

– Non è possibile, – disse il giovane. – Per liberarmi ci vorrebbe una ragazza che m'amasse e fosse pronta a morire per me.

La Principessa disse: – Sono io quella ragazza!

Intanto che si svolgeva questo dialogo dentro la scorza di granchio, la Fata si era seduta in groppa, e il giovane manovrando le zampe del granchio come al solito, la trasportava per le vie sotterranee verso il mare aperto, senza che essa sospettasse che insieme a lui era nascosta la figlia del Re. Lasciata la Fata e tornando a nuotare verso la peschiera, il Principe – perché era un Principe – spiegava alla sua innamorata, stretti insieme dentro la scorza di granchio, cosa doveva fare per liberarlo: – Devi andare su uno scoglio in riva al mare e metterti a suonare e cantare. La Fata va matta per la musica e uscirà dal mare a ascoltarti e ti dirà: «Suoni, bella giovane, mi piace tanto». E tu risponderai: «Sí che suono, basta che lei mi dia quel fiore che ha in testa». Quando avrai quel fiore in mano, sarò libero, perché quel fiore è la mia vita.

Intanto il granchio era tornato alla peschiera e lasciò uscire dalla scorza la figlia del Re.

Il vagabondo era rinuotato via per conto suo e, non trovando piú la Principessa, pensava d'essersi messo in un bel guaio, ma la giovane ricomparve fuori dalla peschiera, e lo ringraziò e compensò lautamente. Poi andò dal padre e gli disse che voleva imparare la musica e il canto. Il Re, che la contentava in tutto, mandò a chiamare i piú gran musici e cantanti a darle lezioni.

Appena ebbe imparato, la figlia disse al Re: – Papà, ho voglia d'andare a suonare il violino su uno scoglio in riva al mare.

– Su uno scoglio in riva al mare? Sei matta? – ma come al solito la accontentò, e la mandò con le sue otto damigelle vestite di bianco. Per prevenire qualsiasi pericolo, la fece seguire da lontano da un po' di truppa armata.

Seduta su uno scoglio, con le otto damigelle vestite di bianco, su otto scogli intorno, la figlia del Re suonava il violino. E dalle onde venne su la Fata. – Come suona bene! – le disse. – Suoni, suoni che mi piace tanto!

La figlia del Re le disse: – Sí che suono, basta che lei mi regali quel fiore che porta in testa, perché io vado matta per i fiori.

– Glielo darò se lei è capace d'andarlo a prendere dove lo butto.

– E io ci andrò, – e si mise a suonare e cantare. Quando ebbe finito, disse: – Adesso mi dia il fiore.

– Eccolo, – disse la Fata e lo buttò in mare, piú lontano che poteva.

La Principessa lo vide galleggiare tra le onde, si tuffò e si mise a nuotare. – Padroncina, padroncina! Aiuto, aiuto! – gridarono le otto damigelle ritte sugli scogli coi veli bianchi al vento. Ma la Principessa nuotava, nuotava, scompariva tra le onde e tornava a galla, e già dubitava di poter raggiungere il fiore quando un'ondata glielo portò proprio in mano.

In quel momento sentí una voce sotto di lei che diceva: – Mi hai ridato la vita e sarai la mia sposa. Ora non aver paura: sono sotto di te e ti trasporterò io a riva. Ma non dire niente a nessuno, neanche a tuo padre. Io devo andare ad avvertire i miei genitori ed entro ventiquattr'ore verrò a chiedere la tua mano.

– Sí, sí, ho capito, – lei gli rispose, soltanto, perché non aveva piú fiato, mentre il granchio sott'acqua la trasportava verso riva.

Cosí, tornata a casa, la Principessa disse al Re che s'era tanto divertita, e nient'altro.

L'indomani alle tre, si sente un rullo di tamburi, uno squillo di trombe, uno scalpitío di cavalli: si presenta un maggiordomo a dire che il figlio del suo Re domanda udienza.

Il Principe fece al Re regolare domanda della mano della Principessa e poi raccontò tutta la storia. Il Re ci restò un po' male perché era all'oscuro di tutto; chiamò la figlia e questa arrivò correndo e si buttò nelle braccia del Principe: – Questo è il mio sposo, questo è il mio sposo! – e il Re capí che non c'era altro da fare che combinare le nozze al piú presto.

(Venezia).

16

Pomo e Scorzo

Una volta c'era marito e moglie, gran signori. Avrebbero voluto un figliolo, e non ne avevano. Un giorno, quel signore era per via e incontra un Mago. – Signor Mago, mi insegni un po', – gli dice, – come posso fare ad avere un figlio?

Il Mago gli dà una mela e dice: – La faccia mangiare a sua moglie e in capo a nove mesi le nascerà un bel bambino.

Il marito torna a casa con la mela e la dà a sua moglie. – Mangia questa mela e avremo un bel bambino: me l'ha detto un Mago.

La moglie tutta contenta chiamò la fantesca e le disse che le sbucciasse la mela. La fantesca gliela sbucciò e si tenne le scorze: e poi se le mangiò.

Nacque un figlio alla padrona e lo stesso giorno nacque un figlio alla fantesca: quello della fantesca bianco e rosso come una buccia di mela, e quello della padrona bianco bianco come una polpa di mela. Il padrone li tenne tutti e due come suoi figli, li fece allevare insieme e andare a scuola.

Pomo e Scorzo, diventati grandi, si volevano bene come fratelli. Un giorno, andando a spasso, sentono dire della figlia d'un Mago, bella, bella come il sole: ma che nessuno l'aveva mai vista perché non usciva mai e non s'affacciava neanche alla finestra. Pomo e Scorzo, allora, si fecero fare un gran cavallo di bronzo con la pancia vuota e ci si nascosero dentro con una tromba e un violino. Il cavallo camminava da solo perché loro muovevano le ruote, e cosí andarono sotto al palazzo del Mago e si misero a suonare. Il Mago s'affaccia, vede quel cavallo di bronzo che suona da solo e lo fa entrare in casa perché sua figlia si diverta. La figlia si divertí molto, ma quando, rimasta sola col cavallo di bronzo, ne vide uscire fuori Pomo e Scorzo, fu tutta spaventata. – Non abbia paura, – dissero Pomo e Scorzo, – siamo venuti per vedere quant'è bella, e se lei vuole che ce n'andiamo subito, andiamo. Se invece la nostra musica le piace e vuole che restiamo un po' a suonare, poi rientreremo nel nostro cavallo e lo faremo uscire senza che nessuno s'accorga che ci siamo dentro.

Cosí restarono a suonare e a divertirsi, e alla fine la figlia del Mago non voleva piú lasciarli andare. – Se vuole venire via con me, – le disse Pomo, – sarà la mia sposa.

La figlia del Mago rispose di sí; si nascosero tutti e tre nella pancia del cavallo, e via. Appena erano usciti, rincasa il Mago, chiama la figlia, la cerca, domanda al guardaportone: niente. Allora comprese che c'era stato un tradimento, s'infuriò, s'invelení, s'affacciò al balcone e lanciò contro sua figlia tre sentenze:

«Che abbia da trovare tre cavalli, uno bianco uno rosso uno nero, e lei che le piacciono i cavalli bianchi, abbia da saltare sul bianco e questo sia il cavallo che la tradirà.

«Se no:

«Che abbia da trovare tre cagnolini, uno bianco uno rosso uno nero, e lei che le piacciono i cagnolini neri, abbia a prendere in braccio il nero, e questo sia il cane che la tradirà.

«Se no:

«Che quella notte che andrà a dormire col suo sposo, un biscione abbia da entrare dalla finestra, e questo sia il biscione che la tradirà».

Mentre il Mago lanciava queste tre sentenze dal balcone, per la via lí sotto passavano tre vecchie Fate, e sentirono tutto quanto.

La sera, le Fate, stanche dal lungo viaggio, si fermarono a un'osteria, e appena entrate una di loro disse: – Guarda dov'è la figlia del Mago! Se sapesse le tre sentenze che le ha mandato il padre, non dormirebbe cosí tranquilla!

Infatti, addormentati su una panca dell'osteria c'erano Pomo, Scorzo e la figlia del Mago. A dire la verità, Scorzo non era proprio addormentato, sia perché non riusciva a prendere sonno, sia perché sapeva che è sempre meglio dormire con un occhio solo. E sentiva tutto.

Cosí sentí una Fata dire: – Il Mago le ha augurato che abbia da incontrare tre cavalli, uno bianco uno rosso e uno nero, e lei abbia da saltare in groppa al bianco, che sarà quello che la tradirà.

– Però, – aggiunse l'altra Fata, – se ci fosse qualcuno accorto, taglierebbe subito la testa al cavallo, e non succederebbe niente.

E la terza Fata aggiunse: – E se qualcuno lo racconterà, pietra di marmo diventerà.

– Poi il Mago le ha augurato, – disse la prima Fata, – che abbia da trovare tre cagnolini, e lei vorrà prenderne uno in braccio e questo sarà quello che la dovrà tradire.

– Ma, – disse la seconda Fata, – se ci fosse qualcuno accorto, taglierebbe subito la testa al cagnolino, e non succederebbe niente.

– E se qualcuno lo racconterà, pietra di marmo diventerà, – disse la terza.

– Poi le ha augurato che la prima notte che dormirà col suo sposo, dalla finestra entrerà un biscione, e questo sarà il biscione che la tradirà.

– Ma se ci fosse qualcuno accorto, taglierebbe la testa del biscione, e non succederebbe niente, – disse la seconda Fata.

– E se qualcuno lo racconterà, pietra di marmo diventerà.

Scorzo si trovò cosí con quei tre terribili segreti, che non poteva dire, se non voleva diventare di marmo.

L'indomani ripartirono e arrivarono a una stazione di posta[1], dove il padre di Pomo aveva fatto mandare loro incontro tre cavalli: uno bianco, uno rosso e uno nero. La figlia del Mago saltò subito in sella al bianco, ma Scorzo sguainò pronto la spada e tagliò la testa al cavallo.

– Che fai? Sei pazzo?

– Perdonatemi, non ve lo posso dire.

– Pomo, questo Scorzo è un giovane di cuore cattivo! – disse la figlia del Mago. – Non voglio continuare piú il viaggio con lui.

Ma Scorzo le disse d'aver tagliato la testa al cavallo in un momento in cui aveva perso la ragione, e le chiese perdono, e lei finí per perdonarlo.

Arrivano a casa dei genitori di Pomo e le corrono incontro tre cagnolini: uno bianco, uno rosso e uno nero. Lei fa per prendere in braccio quello nero, ma Scorzo trae la spada e gli taglia la testa.

– Che vada subito via da noi, quest'uomo matto e crudele! – grida la sposa.

In quella arrivano i genitori di Pomo e fecero tante feste al figlio e alla sposa, e saputo della lite con Scorzo, tanto dissero che la persuadettero a perdonargli ancora. Ma a pranzo, nell'allegria generale, solo Scorzo se ne stava pensieroso in disparte e nessuno riusciva a fargli dire quale pensiero l'opprimesse. – Non ho niente, non ho niente, – diceva, però si ritirò prima degli altri, dicendo d'aver sonno. Ma invece d'andare in ca-

1. Luogo attrezzato per il cambio dei cavalli.

mera sua, entrò nella camera degli sposi e si nascose sotto il letto.

Gli sposi vanno a letto e s'addormentano. Scorzo veglia, sente rompere i vetri e vede cadere in camera un biscione enorme, allora salta fuori, snuda la spada e gli taglia la testa. La sposa a quel fracasso si sveglia, vede Scorzo davanti al letto con la spada sguainata, non vede il biscione che è già sparito, e grida: – All'assassino! All'assassino! Scorzo ci vuole ammazzare! Già due volte l'ho perdonato, che questa volta la paghi con la morte.

Scorzo vien preso, imprigionato, e dopo tre giorni lo vestono per l'impiccagione. Morto per morto, domanda la grazia di poter dire tre parole alla sposa di Pomo prima di morire. La sposa va a trovarlo in prigione.

– Si ricorda, – dice Scorzo, – quando ci siamo fermati a un'osteria?

– Sí che mi ricordo.

– Ebbene, mentre lei e il suo sposo dormivano, sono entrate tre Fate e hanno detto che il Mago aveva dato tre maledizioni a sua figlia: di trovare tre cavalli e salire sul cavallo bianco, e che il cavallo bianco l'avrebbe tradita. Ma, hanno detto, se ci fosse stato uno pronto a tagliare la testa al cavallo, non sarebbe successo niente; e che chi lo racconterà, pietra di marmo diventerà.

Dicendo queste parole, al povero Scorzo erano venuti i piedi e le gambe di marmo.

La giovane capí. – Basta, basta per carità! – gridò. – Non raccontarmi altro!

E lui: – Morto per morto, voglio che si sappia. Le tre Fate hanno detto che la figlia del Mago avrebbe trovato tre cagnolini…

Le disse la maledizione dei cagnolini, e diventò di pietra fino al collo.

– Ho capito! Povero Scorzo, perdonami! Non raccontare piú! – diceva la sposa.

Ma lui con un fil di voce perché aveva già la gola di marmo, e balbettando perché gli diventavano di marmo le mascelle, le disse della maledizione del biscione. – Ma... chi lo racconterà... di marmo diventerà... – E tacque, di marmo dalla testa ai piedi.

– Cos'ho mai fatto! – si disperava la sposa. – Quest'anima fedele è condannata... A meno che... Certo, chi può salvarlo è solo mio padre, – e presa carta penna e calamaio, scrisse una lettera a suo padre, chiedendogli perdono e scongiurandolo di venire a trovarla.

Il Mago, che non vedeva che per gli occhi della figlia, arriva coi cavalli al galoppo. – Papà mio, – gli dice la figlia abbracciandolo, – ti domando una grazia! Guarda questo povero giovane di marmo! Per salvarmi la vita dalle tue tre maledizioni è diventato di marmo dalla testa ai piedi.

E il Mago, sospirando: – Per l'amore che ho per te, – disse, – farò anche questo –. Trasse di tasca una boccetta di balsamo, diede una spennellata a Scorzo e Scorzo saltò su di carne ed ossa come prima.

Cosí, invece d'accompagnarlo alla forca, l'accompagnarono a casa in trionfo, con musiche e canti, in mezzo a tutto un gran popolo che gridava: viva Scorzo! viva Scorzo!

(Venezia).

78

17

Il dimezzato

Una donna aspettava un bambino, e aveva voglia di prezzemolo. Vicino a lei stava una strega, una strega famosa, e aveva un orto tutto di prezzemolo. La porta dell'orto era sempre aperta perché di prezzemolo ce n'era tanto, che chi voleva poteva anche prenderselo. La donna che aveva voglia di prezzemolo entrò, si mise a mangiare prezzemolo foglia a foglia, e mangia che ti mangia, finí per far piazza pulita di mezzo orto. Quando la strega tornò e vide l'orto per metà pelato che non c'era piú neanche un filo verde, disse: – Ieh!... Tutto me lo vogliono mangiare... Domani starò di guardia a vedere chi viene.

Torna la donna l'indomani, e si mette a mangiare il resto del prezzemolo. Aveva appena finito di brucare l'ultima piantina, che saltò fuori la strega e disse: – Ieh...! Sei tu che m'hai mangiato tutto il prezzemolo?

La donna si spaventò: – Per carità, mi lasci andare, aspetto un bambino...

– Sí che ti lascio andare, – disse la strega, – basta che il bambino o la bambina che nascerà, quando avrà sette anni, sia mezzo per te e mezzo per me.

E la donna, spaventata, gli disse di sí, pur di poter scappare via.

Le naque un figlio maschio. Cresce, compie i sei anni, e un giorno, passando dalla strada della strega, questa lo vede e gli dice: – Di', ricorda a tua madre che ci manca un anno.

Il bambino andò a casa e disse: – Mamma, m'ha detto una vecchia che ci manca un anno.

– E tu, – gli disse, – se te lo torna a dire, dille cosí che è matta.

Al bambino mancavano tre mesi a compiere i sette anni e la strega gli disse: – Dille a tua madre che ci manca tre mesi.

E lui: – Cara lei, lei è matta!

E la vecchia: – Sí, sí, vedremo se son matta!

Dopo tre mesi la vecchia prende il bambino per strada e se lo porta a casa. Lo stende su una tavola, e con un coltello lo taglia in due metà per il lungo, mezza testa e mezzo corpo.

A uno di questi mezzi disse: – Tu va' a casa, – e all'altro mezzo disse: – Tu resta con me.

Un mezzo resta e l'altro mezzo va a casa. Va a casa e dice a sua madre: – Hai visto mamma, cosa mi ha fatto, quella vecchia? E tu dicevi che era matta! – E la mamma dovette aprir le braccia e star zitta.

Questo mezzo ragazzo viene grande e non sapeva che mestiere fare: decide di fare il pescatore. Un giorno va a pescare all'anguillaia e prende un'anguilla lunga quanto lui. La tira su e l'anguilla gli dice: – Lasciami andare che tornerai a pescarmi –. Lui la ributta in acqua, butta ancora la rete e la tira su piena d'anquille. Tornò con la barca che traboccava d'anguille da tutte le parti e guadagnò un sacco di quattrini.

Il giorno dopo, ripescò ancora quell'anguilla grande, che gli dice: – Lasciami andare, che per l'amor dell'anguillina, qualunque cosa vorrai, sarà fatto, – e lui subito la lasciò.

Un giorno, andando come al solito a pescare, passò davanti al palazzo del Re. C'era la figlia del Re al balcone con le damigelle. La figlia del Re vede quest'uomo con mezza testa, mezzo corpo e una gamba sola e scoppia a ridere. Lui alza l'occhio verso di lei e le dice: – Ah, tu ridi... E allora, per l'amor dell'anguillina, la figlia del Re abbia un figlio da me.

Dopo un po' la figlia del Re si mise ad aspettare un bambino e i genitori se ne accorsero. – Ma com'è questa storia? – le chiesero.

– Mah, io non ne so niente, – dice la ragazza.

– Come? Non ne sai niente? Chi è il padre?

– Davvero, non lo so, non so niente, – e nonostante tutte le richieste dei genitori, che le dicevano che parlasse pure, ché la perdonavano, lei continuava a dire di non sapere nulla. Allora cominciarono a maltrattarla, ad avvilirla, e lei non sapeva darsi pace.

Nacque un bambino, un bellissimo figlio maschio, ma i genitori piangevano per il disonore d'avere in casa un bambino senza padre e chiamarono un Mago perché l'indovinasse lui. Il Mago disse: – Aspettiamo che il bambino abbia un anno.

Quando ebbe un anno, – Bisogna, – disse il Mago, – far corte bandita[1] di tutti i signori della città, e quando i signori saranno in sala, bisogna che sia portato intorno questo bambino con una mela d'oro e una mela d'argento. La mela d'oro la darà a suo padre e la mela d'argento la darà a suo nonno.

Il Re mandò fuori i manifesti e fece preparare una gran sala con tanti seggioloni intorno. Quando tutti i signori della città furono seduti sui seggioloni, fece chiamare la balia col bambino in braccio e gli diede le due mele in mano. – Questa è per tuo padre, e questa per tuo nonno.

La balia gira intorno alla sala, ritorna davanti al Re e il bambino gli dà la mela d'argento.

1. Corte bandita: nel Medioevo, festa organizzata da un grande feudatario in onore dei signori dei dintorni.

– Che sono tuo nonno lo so, purtroppo, – dice il Re, – ma voglio sapere chi è tuo padre.

Ma il bambino girava, girava, e la mela d'oro non la dava a nessuno.

Fu richiamato il Mago. – Adesso, – disse il Mago, – faccia corte bandita di tutti i poveri della città, – e il Re mandò fuori il manifesto.

Quando il Mezzo sentí che a palazzo c'era corte bandita di tutti i poveri, disse a sua madre: – Preparami la mia mezza camicia, la mia mezza giacchetta, il mio pantalone, la mia scarpetta e la mia mezza berretta ché sono invitato dal Re.

Tutto il salone era pieno di poveracci, pescatori, mendicanti. Intorno il Re aveva fatto mettere delle panche. La balia col bambino cominciò a girare intorno e il bambino aveva la mela d'oro in mano. – Su bello, – gli diceva la balia, – dàlla al tuo papà, – e girava intorno. Appena il bambino vide il Mezzo, si mise a sorridere, gli buttò le braccia al collo, e disse: – Papà, piglia questa mela!

E dalle panche intorno tutti i poveri scoppiarono in una risata: – Iiieeeh! Di chi s'è innamorata la figlia del Re!

In mezzo a tutti, solo il Re conservò la calma. – Dunque, – disse, – questo sia lo sposo di mia figlia!

E le nozze furono tosto celebrate. Gli sposi uscirono di chiesa e credevano che ad aspettarli ci fosse una carrozza. C'era una botte invece, una gran botte vuota: il Mezzo, la sua sposa e il bambino ci furono fatti entrare e chiusi dentro, e poi la botte fu gettata in mare.

Il mare era in burrasca, e la botte scompariva e riappariva tra le onde, finché non si vide piú, e tutti dal palazzo del Re dissero che era andata a fondo.

Galleggiava, invece. E là dentro il Mezzo, sentendo che la figlia del Re moriva di paura, le disse: – Sposa, vuoi che faccia approdare la botte su una spiaggia?

E la sposa con un fil di voce: – Se sei capace, sí.

Detto fatto, per l'amor dell'anguillina, la botte si trovò in secco su una spiaggia. Il Mezzo ruppe il fondo e tutti e tre vennero fuori. Era ora di desinare, e per l'amor dell'anguillina apparve una tavola apparecchiata per tre, piena di pietanze e di bevande. Dopo che ebbero ben mangiato e ben bevuto, il Mezzo disse: – Sei contenta di me, sposa?

– Sarei contenta ancor di piú, – disse lei, – se invece di mezzo, tu fossi intero.

Allora lui disse tra sé: «Per l'amor dell'anguillina, ch'io venga intero e piú bello di prima», e sul momento diventò un bellissimo giovane, tutto intero, e vestito da gran signore. – Sei contenta?

– Sí, contenta son contenta, ma lo sarei ancor di piú se invece che su una spiaggia deserta, fossimo in un bel palazzo.

E lui, tra sé: «Per l'amor dell'anguillina, che noi possiamo trovarci in un bel palazzo con due alberi di melo, uno per parte, uno che faccia le mele d'oro e uno le mele d'argento, e ci siano camerieri, maggiordomi, damigelle e tutto quello di cui c'è bisogno in un palazzo».

Aveva appena pensato quello che ci fu tutto, palazzo, mele, maggiordomi.

Dopo pochi giorni, il Mezzo che non era piú mezzo ma intero, fece corte bandita di tutti i Re e le Regine dei dintorni, e venne anche il padre della sposa. Il Mezzo, ricevendoli sulla porta, disse loro: – Vi raccomando una sola cosa, di non toccare quelle mele d'oro e quelle mele d'argento: guai a chi gli capitasse di toccarle.

– Stia tranquillo, stia tranquillo, – dissero gli invitati. – Terremo le mani a posto.

Si mettono a mangiare e a bere, e intanto il Mezzo dice tra sé: «Per l'amor dell'anguillina, che una mela d'oro e una mela d'argento vadano nelle tasche di mio suocero».

Dopo pranzo, conduce gli ospiti a passeggio in giardino e vede che mancano due mele. – Chi è stato? – chiede.

Tutti quei Re dicono: – Io no. Io non ho toccato niente.

Il Mezzo dice: – V'avevo avvertito prima che quelle mele non volevo che fossero toccate. Ora mi tocca passare la visita alle loro Maestà.

E cominciò a frugare, Re per Re e Regina per Regina. Nessuno aveva mele addosso. Alla fine toccò al suocero, e gli trovò le due mele. Una per tasca. – Hai visto! Tra tutti, nessuno ha avuto il coraggio di toccare niente e solo lei me ne ha rubato due! Adesso avrà da fare con me!

– Ma io non so niente... – s'affannava a dire il Re. – Io non so come sia... io non le ho prese, posso giurarlo!

E il Mezzo: – Cosí, con tutte le prove contro, vorrebbe dire d'essere innocente?

E il Re: – Sí.

– Allora, com'è innocente lei, era innocente sua figlia, ed è giusto che quel che ha fatto di sua figlia faccia io di lei.

In quel momento si presentò la sposa. – Non sia mai detto, – fece, – che per causa mia mio padre abbia a soffrire; se pure lui m'ha usato crudeltà, è tuttavia sempre mio padre e domando grazia per lui.

E il Mezzo, mosso a compassione, gli fece grazia. Il Re, contento d'aver ritrovato sua figlia che credeva morta, e d'aver saputo ch'era innocente, li condusse tutti con sé al suo palazzo e là vissero sempre assieme in buona pace e carità, e se non son morti saranno ancora là.

(Venezia).

84

18.
Il figlio del Re di Danimarca

C'era una volta un Re e una Regina che non potevano aver figlioli. Finalmente, a furia di pregare i loro idoli, la Regina riuscí ad avere una bambina. Per sapere il destino della figlia, chiamò dodici astrologhi; a undici di loro diede in regalo un telescopio d'oro, e al dodicesimo, che era il piú vecchio di tutti, diede solo un telescopio d'argento. Gli astrologhi si radunarono attorno alla figlia, e chi disse che sarebbe stata bella, chi disse che sarebbe stata brava, chi virtuosa, insomma le solite cose. Solo il piú vecchio stava zitto. – Dica la sua anche lei, – gli fece il Re. E l'astrologo, che se l'era avuta a male per il telescopio d'argento, rispose che tutto quel che avevano detto gli altri andava bene, ma che la ragazza si sarebbe innamorata del primo uomo che avrebbe sentito nominare.

– E come possiamo fare per impedirlo? – chiese il Re.

– Bisogna fare un palazzo unito a questo, – spiegò l'astrologo, – con dentro tutto quel che può occorrere alla figlia d'un Re, e lí alloggiarla, con balie e cameriere. Ma dovrà essere un palazzo senza neanche una finestra, tranne che un finestrino in alto in alto.

Cosí fu fatto. Il Re andava a trovare la figlia una volta al mese e la vedeva crescere e diventar sempre piú bella, come era stato predetto dagli astrologhi, ma piú cresceva e piú capiva che non poteva resta là chiusa eternamente, e che ci doveva essere un altro mondo, diverso da quello in cui era prigioniera.

Un giorno che le sue cameriere erano in giardino, la ragazza andò sotto a quella finestrella in alto in alto e cominciò a fare una torre di tavoli e tavolini e sedie uno sopra l'altro finché riuscí a raggiungere il davanzale. Di là poteva vedere il cielo col sole e le nuvole, ma non la terra, e dalla terra le arrivavano suoni e parole.

Sentí le voci di due giovanotti che passavano in strada. Uno diceva: – Ma cos'è questo palazzo accanto a quello del Re?

– Non sai? C'è dentro la figlia del Re, che la tengono chiusa perché le hanno predetto che s'innamorerà del primo uomo di cui sentirà parlare.

– Ed è bella?

– Si dice di sí, ma nessuno l'ha mai vista.

– Può esser bella quanto vuole, ma bella come il figlio del Re di Danimarca non sarà di sicuro. Sai che il figlio del Re di Danimarca è tanto bello che deve portare sette veli sul viso? E non si sposerà finché non troverà una sposa bella come lui.

La figlia del Re, a sentire quelle parole, fu presa dalle smanie e cadde in terra. Accorsero le sue damigelle e la trovarono che piangeva e smaniava: – Voglio andare fuori di qua, fuori di qua!

– Abbia pazienza, – dissero le damigelle, – aspetti che torni suo padre e lo dica a lui.

Alla fine del mese venne a trovarla suo padre come al solito, e lei scoppiò in pianto e gli disse che era imprigionata senza ragione, e che voleva uscire. Il Re allora la fece passare nel suo palazzo, con l'ordine che mai nessun uomo fosse nominato. Ma la ragazza ormai aveva in mente il figlio del Re di Danimarca ed era sempre malinconica. Suo padre le domandava sempre cos'aveva, e lei: – Niente, niente! – Finalmente un giorno si fece coraggio, entrò nello studio di suo padre, si buttò in ginocchio e gli raccontò del figlio del Re di Danimarca. – Padre mio, vi supplico, mandate a domandargli se mi vuole in sposa.

– Alzati e sta' quieta, – le disse il Re. – Ora manderò gli ambasciatori. Sono piú potente io del Re di Danimarca, e non mi dirà di no.

Gli ambasciatori arrivarono dal Re di Danimarca. Il Re di Danimarca chiamò il figlio. Venne il figlio, coi sette veli sopra il viso, e suo padre gli disse che lo domandavano per sposo.

Allora lui sollevò il primo velo e disse agli ambasciatori: – È bella come me?

E gli ambasciatori gli risposero: – Sacra Maestà, sí.

Lui sollevò il secondo velo: – È bella come me?

– Sacra Maestà, sí.

E cosí sollevò tutti i veli uno dopo l'altro e quando si fu tolto l'ultimo chiese: – È bella come me?

Gli ambasciatori chinarono il capo. – Sacra Maestà, no.

– Allora ditele che non la voglio.

– Ma ha detto cosí, – insistettero gli ambasciatori, – che se lei non la vuole, s'impiccherà.

Il figlio del Re di Danimarca allora prese una corda e la buttò agli ambasciatori. – Prendete questa corda e ditele che s'impicchi.

Gli ambasciatori fecero ritorno con la corda in mano, e il Re montò su tutte le furie. Ma la ragazza prese a piangere, a sospirare, a pregare suo padre, tanto che egli mandò di nuovo gli ambasciatori al Re di Danimarca.

Anche questa volta il figlio del Re di Danimarca alzò tutti i suoi veli fino all'ultimo, e chiese: – È bella come me?

– Sacra Maestà, no.

– Allora ditele che non la voglio.

– Ha detto cosí che prenderà un coltello e s'ammaz-
zerà.

– Tenete questo coltello e ditele che s'ammazzi.

Tornarono col coltello e il Re voleva dichiarare guerra alla Danimarca, ma la figlia a forza di preghiere e
suppliche lo calmò e dopo qualche mese lo persuase a
mandare ancora una volta gli ambasciatori.

Il figlio del Re di Danimarca fece le stesse domande.

– Sacra Maestà, no, – risposero gli ambasciatori
quando sollevò l'ultimo velo, – ma se sarà respinta ancora, ha detto che prenderà una pistola e si sparerà.

– Tenete questa pistola e che si spari.

Tornarono con la pistola. E il Re andò ancora in collera e la figlia si rimise a piangere. – Vi prego, padre
mio, – lei disse, – fatemi una botte di ferro, chiudete-
mi dentro e lasciatemi andare per il mare.

Il padre non voleva nemmeno sentir parlare di questa
cosa, ma a forza di preghiere la figlia ottenne d'esser
messa in una botte. C'entrò vestita da principessa, con
la corona in testa, e con la corda, il coltello e la pistola,
e un po' di roba da mangiare per il viaggio. E via per il
mare.

Dopo aver galleggiato giorni e giorni, il mare la portò
a un'isola, dov'era il palazzo di una Regina. Le damigelle al mattino apersero i balconi, e videro la botte sulla spiaggia. – Ah, Sacra Maestà! – dissero. – Se vedes-
se che bella botticella ha buttato a riva il mare!

La Regina diede ordine di tirar su la botte. L'apersero in sua presenza e uscí quella bella giovane. – Perché
vai cosí per il mare? – le chiese la Regina, e lei le raccontò.

– Niente, niente, non prenderti tanta passione, – le
disse la Regina. – Il figlio del Re di Danimarca è mio
fratello. E ogni mese viene a farmi visita per bere un
bicchiere d'acqua di mare. Tra pochi giorni dovrebbe
venire.

Venne dunque il figlio del Re di Danimarca. La Regina sua sorella, invece di far entrare la solita damigella a portargli il bicchiere d'acqua di mare, fece entrare questa giovane. E lui, a vederla, s'innamorò tutto d'un colpo. – Chi è questa bella signora? – chiese alla sorella.

– Una mia amica.

– Sorella mia, sai cosa ti dico? Che d'ora in avanti invece che ogni mese verrò a trovarti ogni quindici giorni.

Dopo quindici giorni tornò, e quella giovane gli portò il bicchiere d'acqua di mare.

– Sorella mia, sai cosa ti dico? – fece lui. – Invece che ogni quindici giorni, verrò ogni otto.

Dopo otto giorni tornò, ma questa volta il bicchier d'acqua fu portato dalla damigella di prima. Il figlio del Re di Danimarca non volle bere. – Ma quella bella giovane, – domandò, – non c'è piú?

– Sta poco bene.

– Voglio andare a trovarla nella sua stanza.

La giovane era a letto e davanti sul lenzuolo aveva la corda, il coltello e la pistola. Ma egli guardava solo lei, e non ci badò. Lei invece gli disse: – Allora, quale devo adoperare di queste tre cose?

Lui non capiva, e lei gli spiegò allora che era la figlia di quel Re che gli aveva mandato gli ambasciatori.

– Sono stato ingannato! – disse lui. – Avessi saputo che eri cosí bella, avrei detto di sí subito!

La giovane allora s'alzò e scrisse a suo padre: «Mi trovo in casa della tal Regina e c'è qui anche il figlio del Re di Danimarca, e vuole sposarmi».

Il padre tutto contento andò a prenderla, andarono tutti dal Re di Danimarca e lí fecero le nozze.

(Venezia).

19.
Il bambino nel sacco

Pierino Pierone era un bambino alto cosí, che andava a scuola. Per la strada di scuola c'era un orto con un pero, e Pierino Pierone ci s'arrampicava a mangiar le pere. Sotto il pero passò la Strega Bistrega e disse:

Pierino Pierone dammi una pera
Con la tua bianca manina,
Ché a vederle, son sincera,
Sento in bocca l'acquolina!

Pierino Pierone pensò: «Questa si sente l'acquolina in bocca perché vuole mangiare me, non le pere», e non voleva scendere dall'albero. Colse una pera e la buttò alla Strega Bistrega. Ma la pera cascò per terra, proprio dov'era passata una mucca e aveva lasciato un suo ricordo.

La Strega Bistrega ripeté:

Pierino Pierone dammi una pera
Con la tua bianca manina,
Ché a vederle, son sincera,
Sento in bocca l'acquolina!

Ma Pierino Pierone non scese e buttò un'altra pera, e la pera cadde per terra, proprio dov'era passato un cavallo e aveva lasciato un laghetto.

La Strega Bistrega ripeté la sua preghiera e Pierino Pierone pensò che era meglio accontentarla. Scese e le porse una pera. La Strega Bistrega aperse il sacco ma invece di metterci la pera ci mise Pierino Pierone, legò il sacco e se lo mise in spalla.

Fatto un pezzo di strada, la Strega Bistrega dovette fermarsi a fare un bisognino: posò il sacco e si nascose in un cespuglio. Pierino Pierone che intanto, coi suoi dentini da topo, aveva rosicchiato la corda che legava il sacco, saltò fuori, ficcò nel sacco una bella pietra e scappò. La Strega Bistrega riprese il sacco e se lo mise sulle spalle.

Ahimè Pierino Pierone
Pesi come un pietrone!

disse, e andò a casa. L'uscio era chiuso e la Strega Bistrega chiamò sua figlia:

Margherita Margheritone,
Vieni giú e apri il portone
E prepara il calderone
Per bollire Pierino Pierone.

Margherita Margheritone aprí e poi mise sul fuoco un calderone pieno d'acqua. Appena l'acqua bollí, la Strega Bistrega ci vuotò dentro il sacco. – Plaff! – fece la pietra, e sfondò il calderone; l'acqua andò sul fuoco e tutt'intorno e bruciò le gambe alla Strega Bistrega.

Mamma mia cosa vuol dire:
Porti i sassi da bollire?

disse Margherita Margheritone. E la Strega Bistrega saltando per il bruciore:

Figlia mia, riaccendi il fuoco,
Io ritorno qui tra poco.

Cambiò vestito, si mise una parrucca bionda, e andò via col sacco.

Pierino Pierone invece d'andare a scuola era tornato

sul pero. Ripassò la Strega Bistrega travestita, sperando di non esser riconosciuta, e gli disse:

Pierino Pierone dammi una pera
Con la tua bianca manina,
Ché a vederle, son sincera,
Sento in bocca l'acquolina!

Ma Pierino Pierone l'aveva riconosciuta lo stesso e si
guardava bene dallo scendere:

Non do pere alla Strega Bistrega
Se no mi prende e nel sacco mi lega.

E la Strega Bistrega lo rassicurò:

Non sono chi credi, son sincera,
Arrivata son qui stamattina,
Pierino Pierone dammi una pera
Con la tua bianca manina.

E tanto disse tanto fece che Pierino Pierone si persuase
a scese a darle una pera. La Strega Bistrega lo ficcò subito nel sacco.

Arrivati a quel cespuglio, dovette di nuovo fermarsi
per un bisognino, ma stavolta il sacco era legato cosí
forte che Pierino Pierone non poteva scappare. Allora
il ragazzo si mise a fare il verso della quaglia. Passò un
cacciatore con un cane cercando quaglie, trovò il sacco
e l'aperse. Pierino Pierone saltò fuori e supplicò il cacciatore di mettere il cane al suo posto nel sacco. Quando la Strega Bistrega tornò e riprese il sacco, il cane lí
dentro non faceva che dimenarsi e guaire, e la Strega
Bistrega diceva:

Pierino Pierone non ti rimane
Che saltare e guaire come un cane.

Arrivò alla porta e chiamò la figlia:

Margherita Margheritone,
Vieni giú e apri il portone
E prepara il calderone
Per bollire Pierino Pierone.

Ma quando fece per rovesciare il sacco nell'acqua bollente, il cane furioso sgusciò fuori, le morse un polpaccio, saltò in cortile e cominciò a sbranar galline.

Mamma mia, che casi strani,
Tu per cena mangi i cani?

disse Margherita Margheritone. E la Strega Bistrega:

Figlia mia, riaccendi il fuoco,
Io ritorno qui tra poco.

Cambiò vestito, si mise una parrucca rossa e tornò al pero; e tanto disse tanto fece che Pierino Pierone si lasciò acchiappare un'altra volta. Questa volta non si fermò in nessun posto e portò il sacco fino a casa, dove sua figlia l'aspettava sull'uscio.

– Prendilo e chiudilo nella stia, – le disse, – e domani di buonora, mentre io sono via, fallo in spezzatino con patate.

Margherita Margheritone, l'indomani mattina, prese un tagliere e una mezzaluna e aperse uno spiraglio nella stia.

Pierino Pierone fammi un piacere,
Metti la testa su questo tagliere.

E lui:

Come? Fammi un po' vedere.

Margherita Margheritone posò il collo sul tagliere e Pierino Pierone prese la mezzaluna, le tagliò la testa e la mise a friggere in padella.
Venne la Strega Bistrega ed esclamò:

Margheritone figlia mia bella,
Chi t'ha messa lí in padella?

– Io! – fece Pierino Pierone su dalla cappa del camino.

– Come hai fatto a salire lassú? – chiese la Strega Bistrega.

– Ho messo una pignatta sopra l'altra e sono salito.

Allora la Strega Bistrega provò a farsi una scala di pignatte per salire ad acchiapparlo, ma sul piú bello sfondò le pignatte, cadde nel fuoco e bruciò fino all'ultimo
briciolo.

(Friuli).

20.

Quaquà! Attaccati là!

Un Re aveva una figlia, bella come la luce del sole, che tutti i principi e i gran signori l'avrebbero voluta in sposa, se non fosse stato per via del patto che aveva stabilito con suo padre.

Bisogna sapere che una volta questo Re aveva offerto un gran pranzo, e mentre tutti gli invitati ridevano e stavano in allegria, solo sua figlia rimaneva seria e scura in volto. – Perché cosí triste? – le domandarono i commensali. E lei: zitta. Tutti si provarono a farla ridere, ma nessuno ci riusciva.

– Figlia mia, sei arrabbiata? – le disse il padre.

– No, no, padre mio.

– E allora, perché non ridi?

– Non riderei nemmeno se ne andasse della mia vita.

Al Re allora venne quest'idea: – Brava! Visto che ti sei cosí intestata a non ridere, facciamo una prova, anzi un patto. Chi ti vorrà sposare, dovrà riuscire a farti ridere.

– Va bene, – disse la Principessa. – Ma ci aggiungo questa condizione: che chi cercherà di farmi ridere e non ci riuscirà, gli sarà tagliata la testa.

E cosí fu stabilito, tutti i commensali erano testimoni e ormai la parola data non si poteva piú ritirarla.

La voce si sparse per il mondo, e tutti i principi e i gran signori volevano provare a conquistare la mano di quella Principessa cosí bella. Ma quanti ci provavano,

95

tutti ci rimettevano la testa. Ogni mattina di buonora la Principessa si metteva sul poggiolo ad aspettare che arrivasse un pretendente. Cosí passavano gli anni, e il Re aveva paura di vedersi questa figlia andarsene in spiga come un vecchio cespo di insalata.

Ora accadde che la notizia capitò anche in un paesotto. Si sa che a veglia[1] si vengono a sapere storie di tutti i generi, e cosí si parlò di quel patto della Principessa. Un ragazzo con la tigna[2] in testa, figlio di un povero ciabattino, era stato a sentire a bocca aperta. E disse:

– Ci voglio andare io!

– Ma va' là, tu! non dire sciocchezze, figlio mio, – fece suo padre.

– Sí, padre, voglio andare a vedere. Domani mi metto in viaggio.

– T'ammazzeranno. Quelli non scherzano.

– Padre, io voglio diventare Re!

– Sí, sí, – risero tutti, – un Re con la tigna in testa!

L'indomani mattina, il padre non pensava nemmeno piú a quell'idea del figlio, quando se lo vide comparire davanti e dire: – Allora, padre, io vado; qui tutti mi guardano di brutto per via della tigna. Datemi tre pani, tre carantani[3] e una boccia[4] di vino.

– Ma pensa...

– Ho già pensato a tutto, – e partí.

Cammina cammina, incontra una povera donna che si trascinava appoggiandosi a un bastone. – Avete fame, padrona? – le chiese il tignoso.

– Sí, figlio: e tanta. Avresti qualcosa da darmi da mangiare?

1. Un tempo, nelle campagne, si passavano le serate invernali riuniti nelle stalle: conversando, raccontando favole o leggendo.
2. Malattia del cuoio capelluto.
3. Antiche monete di rame.
4. Piccolo recipiente di terracotta, usato anticamente per misurare i liquidi.

Il tignoso le diede uno dei suoi tre pani, e la donna lo mangiò. Ma visto che aveva ancora fame, le diede anche il secondo, e poiché gli faceva proprio pietà, finí per darle anche il terzo.

E cammina, cammina. Trova un'altra donna, tutta in stracci.

– Figliolo, mi daresti qualche soldo per comprarmi un vestituccio?

Il tignoso le diede un carantano; poi pensò che forse un carantano solo non bastava, gliene diede un altro; ma la donna gli faceva tanta pietà che le diede anche il terzo.

E cammina, cammina. Incontra un'altra donna, vecchia, grinzosa, che se ne stava a lingua fuori dalla sete che aveva.

– Figliolo, se mi dài un po' d'acqua da bagnarmi la lingua, salvi un'anima del Purgatorio.

Il tignoso le porse la sua boccia di vino; la vecchia ne bevve un po' e lui la invitò a bere ancora, finché non gliel'ebbe scolata tutta. Rialzò il viso, e non era piú una vecchia, ma una bella fanciulla bionda, con una stella tra i capelli.

– Io so dove vai, – gli disse, – e ho conosciuto il tuo buon cuore perché le tre donne che hai incontrato ero sempre io. Voglio aiutarti. Prendi questa bella oca, e portatela sempre con te. È un'oca che quando qualcuno la tocca, strilla: «Quaquà!» e tu devi dire subito: «Attaccati là!» – e la bella fanciulla sparí.

Il tignoso continuò la strada portandosi dietro l'oca. A sera arrivò a un'osteria e, senza soldi com'era, si sedette fuori, su una panca. Uscí l'oste e voleva cacciarlo via, ma in quella capitarono le due figlie dell'oste e, vista l'oca, dissero al padre: – Ti prego, non mandar via questo forestiero. Fallo entrare e dàgli da mangiare e da dormire.

L'oste guardò l'oca, capí cosa avevano in testa le figlie e disse: – Bene, il giovane dormirà in una bella camera, e l'oca la porteremo nella stalla.

– Questo poi no, – disse il tignoso, – l'oca la tengo con me; è un'oca troppo bella per stare in una stalla.

Dopo mangiato, il tignoso andò a dormire e l'oca la mise sotto il letto. Mentre dormiva, gli parve di sentire un tramestio; e tutt'a un tratto l'oca fece: – Quaquà!

– Attaccati là! – gridò lui e s'alzò a vedere.

Era la figlia dell'oste, che s'era avvicinata a carponi, in camicia, aveva abbrancato l'oca per portarle via le piume e ora era rimasta appiccicata in quella posizione.

– Aiuto! Sorella! Vienimi a staccare! – gridò. Venne la sorella, in camicia anche lei, abbraccia la sorella alla vita per staccarla dall'oca, ma l'oca grida: – Quaquà! – E il tignoso: – Attaccati là! – E anche la sorella resta lí attaccata.

Il giovane s'affacciò alla finestra: era quasi giorno. Si vestí e uscí dall'osteria, con l'oca dietro e le due figlie dell'oste attaccate. Per strada incontrò un prete. Vedendo le figlie dell'oste in camicia, il prete incominciò a dire: – Ah, svergognate, è cosí che si va in giro a quest'ora! Ora vi faccio vedere io! – E giú una sculacciata.

– Quaquà! – fa l'oca.

– Attaccati là! – dice il tignoso, e il prete resta attaccato anche lui.

Continuano la strada, con tre persone attaccate all'oca. Incontrano un calderaio carico di casseruole, pentole e tegami. – Ah, che cosa mi tocca di vedere! Un prete in quella posizione! Aspetta a me! – E giú una bastonata.

– Quaquà! – fa l'oca.

– Attaccati là! – fa il tignoso, e ci resta attaccato anche il calderaio, con tutte le sue pentole.

La figlia del Re quella mattina era come al solito sul poggiolo, quando vide arrivare quella compagnia: il tignoso, l'oca, la prima figlia dell'oste attaccata all'oca, la seconda figlia dell'oste attaccata alla prima, il prete attaccato alla seconda, il calderaio con casseruole, pentole e tegami attaccato al prete. A quella vista la Principessa scoppiò a ridere come una matta, poi chiamò suo padre, e anche lui si mise a ridere: tutta la Corte s'affacciò alle finestre e tutti ridevano a crepapancia.

Sul piú bello della risata generale, l'oca e tutti quelli che c'erano attaccati sparirono.

Restò solo il tignoso. Salí le scale e si presentò al Re. Il Re gli diede un'occhiata, lo vide lí con la tigna in testa, vestito di mezzalana, tutto rattoppato, e non sapeva come fare. – Bravo giovane, – gli disse, – ti prendo per servitore. Ti va? – Ma il tignoso non volle accettare: voleva sposare la Principessa.

Il Re, per prender tempo, cominciò a farlo lavare bene, e vestire da signore. Quando si ripresentò, il giovane non si riconosceva piú: era tanto bello che la Principessa se ne innamorò e non vide piú che per gli occhi suoi.

Per prima cosa, il giovane volle andare a prendere suo padre. Arrivò in carrozza, e il povero ciabattino si stava lamentando sulla soglia della porta, perché quel·l'unico figlio lo aveva abbandonato.

Lo portò alla Reggia, lo presentò al Re suo suocero e alla Principessa sua sposa e si fecero le nozze.

(Friuli).

21.

La camicia dell'uomo contento

Un Re aveva un figlio unico e gli voleva bene come alla luce dei suoi occhi. Ma questo Principe era sempre scontento. Passava giornate intere affacciato al balcone, a guardare lontano.

– Ma cosa ti manca? – gli chiedeva il Re. – Che cos'hai?

– Non lo so, padre mio, non lo so neanch'io.

– Sei innamorato? Se vuoi una qualche ragazza dimmelo, e te la farò sposare, fosse la figlia del Re piú potente della terra o la piú povera contadina!

– No, padre, non sono innamorato.

E il Re a riprovare tutti i modi per distrarlo! Teatri, balli, musiche, canti; ma nulla serviva, e dal viso del Principe di giorno in giorno scompariva il color di rosa.

Il Re mise fuori un editto, e da tutte le parti del mondo venne la gente piú istruita: filosofi, dottori e professori. Gli mostrò il Principe e domandò consiglio. Quelli si ritirarono a pensare, poi tornarono dal Re. – Maestà, abbiamo pensato, abbiamo letto le stelle; ecco cosa dovete fare. Cercate un uomo che sia contento, ma contento in tutto e per tutto, e cambiate la camicia di vostro figlio con la sua.

Quel giorno stesso, il Re mandò gli ambasciatori per tutto il mondo a cercare l'uomo contento.

Gli fu condotto un prete: – Sei contento? – gli domandò il Re.

– Io sí, Maestà!

– Bene. Ci avresti piacere a diventare il mio vescovo?

– Oh, magari, Maestà!

– Va' via! Fuori di qua! Cerco un uomo felice e contento del suo stato; non uno che voglia star meglio di com'è.

E il Re prese ad aspettare un altro. C'era un altro Re suo vicino, gli dissero, che era proprio felice e contento: aveva una moglie bella e buona, un mucchio di figli, aveva vinto tutti i nemici in guerra, e il paesa stava in pace. Subito, il Re pieno di speranza mandò gli ambasciatori a chiedergli la camicia.

Il Re vicino ricevette gli ambasciatori, e: – Sí, sí, non mi manca nulla, peccato però che quando si hanno tante cose, poi si debba morire e lasciare tutto! Con questo pensiero, soffro tanto che non dormo alla notte! – E gli ambasciatori pensarono bene di tornarsene indietro.

Per sfogare la sua disperazione, il Re andò a caccia. Tirò a una lepre e credeva di averla presa, ma la lepre, zoppicando, scappò via. Il Re le tenne dietro, e s'allontanò dal seguito. In mezzo ai campi, sentí una voce d'uomo che cantava la falulella[1]. Il Re si fermò: «Chi canta cosí non può che essere contento!» e seguendo il canto s'infilò in una vigna, e tra i filari vide un giovane che cantava potando le viti.

– Buon dí, Maestà, – disse quel giovane. – Cosí di buon'ora già in campagna?

– Benedetto te, vuoi che ti porti con me alla capitale? Sarai mio amico.

– Ahi, ahi, Maestà, no, non ci penso nemmeno, grazie. Non mi cambierei neanche col Papa.

– Ma perché, tu, un cosí bel giovane...

– Ma no, vi dico. Sono contento cosí e basta.

1. Cantilena senza significato, tipica delle canzoni popolari friulane.

«Finalmente un uomo felice!», pensò il Re. – Giovane, senti: devi farmi un piacere.

– Se posso, con tutto il cuore, Maestà.

– Aspetta un momento, – e il Re, che non stava piú nella pelle dalla contentezza, corse a cercare il suo seguito: – Venite! Venite! Mio figlio è salvo! Mio figlio è salvo –. E li porta da quel giovane. – Benedetto giovane, – dice, – ti darò tutto quel che vuoi! Ma dammi, dammi...

– Che cosa, Maestà?

– Mio figlio sta per morire! Solo tu lo puoi salvare. Vieni qua, aspetta! – e lo afferra, comincia a sbottonargli la giacca. Tutt'a un tratto si ferma, gli cascano le braccia.

L'uomo contento non aveva camicia.

(Friuli).

22

Una notte in Paradiso

C'erano una volta due grandi amici che dal bene che si volevano avevano fatto questo giuramento: chi si sposa per primo dovrà chiamare l'amico per compare d'anello [1] anche se si trovasse in capo al mondo.

Dopo un po', uno dei due amici muore. L'altro, dovendosi sposare, non sapeva come fare, e chiese consiglio al confessore.

– Brutto affare, – disse il pievano, – tu la tua parola devi mantenerla. Invitalo anche se è morto. Va' alla tomba e digli quello che gli devi dire. Sta poi a lui venire o no.

Il giovane andò alla tomba e disse: – Amico, è venuto il momento; vieni a farmi da compare d'anello!

S'aperse la terra e saltò fuori l'amico. – Sí che vengo, devo pur mantenere la promessa, perché se non la mantengo mi tocca stare chissà quanto tempo in Purgatorio.

Vanno a casa, e dopo in chiesa per lo sposalizio. Poi ci fu il banchetto di nozze e il giovane morto cominciò a raccontare storie d'ogni genere, ma di quel che aveva visto all'altro mondo non ne faceva parola. Lo sposo non vedeva l'ora di fargli delle domande, ma non ne aveva il coraggio. Alla fine del banchetto, il morto s'alza e dice: – Amico, visto che t'ho fatto questo piacere, dovresti venire ad accompagnarmi un pezzetto.

---

1. Compare d'anello: chi fa da testimone alle nozze o porge le fedi nuziali agli sposi o accompagna la sposa all'altare.

– Certo, perché no? Però, senti, solo un momentino, perché, sai, è la prima notte con la mia sposa…

– Ma sí, come vuoi!

Lo sposo diede un bacio alla sposa. – Vado fuori un momento e torno subito, – e uscí col morto. Chiacchierando del piú e del meno arrivarono alla tomba. S'abbracciarono. Il vivo pensò: «Se non glielo domando ora non glielo domando piú», si fece coraggio e gli disse: – Senti, vorrei chiederti una cosa, a te che sei morto: di là, come si sta?

– Io non posso dire nulla, – fece il morto. – Se vuoi sapere vieni anche tu in Paradiso.

La tomba s'aperse, e il vivo seguí il morto. E si trovarono a essere in Paradiso. Il morto lo condusse a vedere un bel palazzo di cristallo con le porte d'oro e dentro gli angeli che suonavano e facevano ballare i beati, e San Pietro che suonava il contrabbasso. Il vivo stava a bocca aperta e chissà quanto sarebbe rimasto lí se non avesse avuto da vedere tutto il resto. – Vieni in un altro posto, adesso! – gli disse il morto, e lo portò in un giardino in cui gli alberi invece di foglie avevano uccelli di tutti i colori che cantavano. – Andiamo avanti, cosa fai lí incantato! – E lo portò in un prato in cui ballavano gli angeli, allegri e dolci come innamorati. – Ora ti porto a vedere una stella! – Sulle stelle non si sarebbe mai stancato di guardare; i fiumi invece che d'acqua erano di vino e la terra era di formaggio.

Tutto a un tratto si riscosse: – Di', compare, sarà già qualche ora che sono quassú. Bisogna che torni dalla sposa che sarà in pensiero.

– Sei già stufo?

– Stufo? Sí: stesse a me…

– E ce ne sarebbe ancora da vedere!

– Lo credo, ma è meglio che vada.

– Bene, come vuoi, – e il morto lo riaccompagnò fino alla tomba e poi sparí.

Il vivo uscí dalla tomba, e non riconosceva piú il cimitero. Era tutto pieno di monumenti, statue, alberi alti. Esce dal cimitero e invece di quelle casette di sassi tirati su alla meglio, vede dei gran palazzi, e tranvai, automobili, aeroplani. «Dove diavolo sono? Ho sbagliato strada? Ma com'è vestita questa gente?»

Domanda a un vecchietto: – Galantuomo, questo paese è...?

– Sí, si chiama cosí, questa città.

– Bene, non so perché, non mi ritrovo. Sapete dirmi dov'è la casa di quello che si è sposato ieri?

– Ieri? Mah, io faccio il sagrestano, e posso dire che ieri non s'è sposato nessuno!

– Come? Io, mi sono sposato! – e gli raccontò che aveva accompagnato in Paradiso il suo compare morto.

– Ti sogni, – disse il vecchio. – Questa è una vecchia storia che raccontano: dello sposo che ha seguito il compare nella tomba e non è piú tornato, e la sposa è morta dal dolore.

– Ma no, lo sposo sono io!

– Senti, l'unica è che tu venga a parlare qui col nostro Vescovo.

– Vescovo? Ma qui in paese c'è solo il pievano.

– Che pievano? Sono tanti di quegli anni che qui ci sta il Vescovo –. E lo portò dal Vescovo.

Il Vescovo, quando il giovane gli raccontò cosa gli era successo, si ricordò di una storia sentita da ragazzo. Prese i libri, cominciò a sfogliarli: trent'anni fa, no; cinquant'anni, no; cento, no; duecento, no. E continua a scartabellare. Alla fine, su una carta tutta rotta e bisunta, trova proprio quei nomi. – È stato trecent'anni fa. Quel giovane è scomparso nel cimitero e la sua sposa è morta di dolore. Leggi qui se non ci credi!

– Ma sono io!

– E sei stato all'altro mondo? Raccontami, raccontami qualcosa!

Ma il giovane diventò giallo come la morte e cadde in terra. Cosí morí, senza poter raccontare nulla di quel che aveva visto.

(Friuli).

23.

L'anello magico

Un giovane povero disse alla sua mamma: – Mamma, io vado per il mondo; qui al paese tutti mi considerano meno d'una castagna secca, e non combinerò mai niente. Voglio andar fuori a far fortuna e allora anche per te, mamma, verranno giorni piú felici.

Cosí disse, e andò via. Arrivò in una città e mentre passeggiava per le strade, vide una vecchietta che saliva per un vicolo in pendío e ansimava sotto il peso di due grossi secchi pieni d'acqua che portava a bilancia appesi a un bastone. S'avvicinò e le disse: – Datemi da portare l'acqua, non ce la fate mica con quel peso –. Prese i secchi, l'accompagnò alla sua casetta, salí le scale e posò i secchi in cucina. Era una cucina piena di gatti e di cani che si affollavano intorno alla vecchietta, facendole le feste e le fusa.

– Cosa posso darti per ricompensa? – chiese la vecchietta.

– Roba da niente, – disse lui. – L'ho fatto solo per farvi piacere.

– Aspetta, – disse la vecchietta; uscí e tornò con un anello. Era un anellino da quattro soldi; glielo infilò al dito e gli disse: – Sappi che questo è un anello prezioso; ogni volta che lo giri e gli comandi quello che vuoi, quello che vuoi avverrà. Guarda solo di non perderlo, che sarebbe la tua rovina. E per esser piú sicura che non lo perdi, ti do anche uno dei miei cani e uno dei miei gatti che ti seguano dappertutto. Sono bestie in gamba e se non oggi domani ti saranno utili.

Il giovane le fece tanti ringraziamenti e se ne andò, ma a tutte le cose che aveva detto la vecchia non ci badò né poco né tanto, perché non credeva nemmeno a una parola. «Discorsi da vecchia», si disse, e non pensò neanche a dare un giro all'anello, tanto per provare. Uscí dalla città e il cane e il gatto gli trotterellavano vicino; lui amava molto le bestie ed era contento d'averle con sé: giocava con loro e li faceva correre e saltare. Cosí correndo e saltando entrò in una foresta. Si fece notte e dovette trovare riposo sotto un albero; il cane e il gatto gli si coricarono vicino. Ma non riusciva a dormire perché gli era venuta una gran fame. Allora si ricordò dell'anello che aveva al dito. «A provare non si rischia niente», pensò; girò l'anello e disse: – Comanda da mangiare e da bere!

Non aveva ancora finito di dirlo che gli fu davanti una tavola imbandita con ogni specie di cibi e di bevande e con tre sedie. Si sedette lui e s'annodò un tovagliolo al collo; sulle altre sedie fece sedere il cane e il gatto, annodò il tovagliolo al collo anche a loro, e si misero a mangiare tutti e tre con molto gusto. Adesso all'anellino ci credeva.

Finito di mangiare si sdraiò per terra e si mise a pensare a quante belle cose poteva fare, ormai. Non aveva che l'imbarazzo della scelta: un po' pensava che avrebbe desiderato mucchi d'oro e d'argento, un po' preferiva carrozze e cavalli, un po' terre e castelli, e cosí un desiderio cacciava via l'altro. «Qui ci divento matto, – si disse alla fine, quando non ne poté piú di fantasticare, – tante volte ho sentito dire che la gente perde la testa quando fa fortuna, ma io la mia testa voglio conservarmela. Quindi, per oggi basta; domani ci penserò». Si coricò su un fianco e si addormentò profondamente. Il cane si accucciò ai suoi piedi, il gatto alla sua testa, e lo vegliarono.

Quando si destò, il sole brillava già attraverso le cime verdi degli alberi, tirava un po' di vento, gli uccellini cantavano e a lui era passata ogni stanchezza. Pensò di comandare un cavallo all'anello, ma la foresta era cosí bella che preferí andare a piedi; pensò di comandare una colazione, ma c'erano le fragole cosí buone sotto i cespugli che si contentò di quelle; pensò di comandare da bere, ma c'era una fonte cosí limpida che preferí bere nel cavo della mano. E cosí per prati e campi arrivò fino a un gran palazzo; alla finestra era affacciata una bellissima ragazza che a vedere quel giovane che se ne veniva allegro a mani in tasca seguito da un cane e da un gatto, gli fece un bel sorriso. Lui alzò gli occhi, e se l'anello l'aveva conservato, il cuore l'aveva bell'è perduto. «Ora sí che è il caso di usare l'anello», si disse. Lo girò e fece: – Comando che di fronte a quel palazzo sorga un altro palazzo ancora piú bello, con tutto quel che ci vuole.

E in un batter d'occhio il palazzo era già lí, piú grande e piú bello dell'altro, e dentro ci stava già lui come ci avesse sempre abitato, e il cane era nella sua cuccia, e il gatto si leccava le zampine vicino al fuoco. Il giovane andò alla finestra, l'aperse ed era proprio dirimpetto alla finestra della bellissima ragazza. Si sorrisero, sospirarono, e il giovane capí che era venuto il momento d'andare a chiedere la sua mano. Lei era contenta, i genitori pure, e dopo pochi giorni avvennero le nozze.

La prima notte che stettero insieme, dopo i baci, gli abbracci e le carezze, lei saltò su a dire: – Ma di', come mai il tuo palazzo è venuto fuori tutt'a un tratto come un fungo?

Lui era incerto se dirglielo o non dirglielo; poi pensò: «È mia moglie e con la moglie non è il caso di avere segreti». E le raccontò la storia dell'anello. Poi tutti contenti si addormentarono.

Ma mentre lui dormiva la sposa pian piano gli tolse l'anello dal dito. Poi s'alzo, chiamò tutti i servitori, e: – Presto, uscite da questo palazzo e torniamo a casa dai miei genitori! – Quando fu tornata a casa girò l'anello e disse: – Comando che il palazzo del mio sposo sia messo sulla cima piú alta e piú scoscesa di quella montagna là! – Il palazzo scomparve come non fosse mai esistito. Lei guardò la montagna, ed era andato a finire in bilico lassú sulla cima.

Il giovane si svegliò al mattino, non trovò la sposa al suo fianco, andò ad aprire la finestra e vide il vuoto. Guardò meglio e vide profondi burroni in fondo in fondo, e intorno, montagne con la neve. Fece per toccare l'anello, e non c'era; chiamò i servitori, ma nessuno rispose. Accorsero invece il cane e il gatto che erano rimasti lí, perché lui alla sposa aveva detto dell'anello e non dei due animali. Dapprincipio non capiva niente, poi a poco a poco comprese che sua moglie era stata un'infame traditrice, e com'era andata tutta quella storia; ma non era una gran consolazione. Andò a vedere se poteva scendere dalla montagna, ma le porte e le finestre davano tutte a picco sui burroni. I viveri nel palazzo bastavano solo per pochi giorni, e gli venne il terribile pensiero che avrebbe dovuto morire di fame.

Quando il cane e il gatto videro il loro padrone cosí triste, gli si avvicinarono, e il cane disse: – Non disperarti ancora, padrone: io e il gatto una via per scendere tra le rocce riusciremo pur a trovarla, e una volta giú ritroveremo l'anello.

– Mie care bestiole, – disse il giovane, – voi siete la mia unica speranza, altrimenti preferisco buttarmi giú per le rocce piuttosto che morir di fame.

Il cane e il gatto andarono, si arrampicarono, saltarono per balze e per picchi, e riuscirono a calar giú dalla montagna. Nella pianura c'era da attraversare un fiume; allora il cane prese il gatto sulla schiena e nuotò dall'altra parte. Arrivarono al palazzo della sposa traditrice che era già notte; tutti dormivano d'un sonno profondo. Entrarono pian pianino dalla gattaiola del portone; e il gatto disse al cane: – Ora tu resta qui a fare il palo; io vado su a vedere cosa si può fare.

Andò su quatto quatto per le scale fin davanti alla stanza dove dormiva la traditrice, ma la porta era chiusa e non poteva entrare. Mentre rifletteva a quel che avrebbe potuto fare, passò un topo. Il gatto lo acchiappò. Era un topone grande e grosso, che cominciò a supplicare il gatto di lasciarlo in vita. – Lo farò, – disse il gatto, – ma tu devi rodere questa porta in modo che io possa entrarci.

Il topo cominciò subito a rosicchiare; rosicchia, rosicchia, gli si consumarono i denti ma il buco era ancora cosí piccolo che non solo il gatto ma nemmeno lui topo ci poteva passare.

Allora il gatto disse: – Hai dei piccoli?

– E come no? Ne ho sette o otto, uno piú vispo dell'altro.

– Va' a prenderne uno in fretta, – disse il gatto, – e se non torni ti raggiungerò dove sei e ti mangerò.

Il topo corse via e tornò dopo poco con un topolino. – Senti, piccolo, – disse il gatto, – se sei furbo salvi la vita a tuo padre. Entra nella stanza di questa donna, sali sul letto, e sfilale l'anello che porta al dito.

Il topolino corse dentro, ma dopo poco era già di ritorno, tutto mortificato. – Non ha anelli al dito, – disse.

Il gatto non si perse d'animo. – Vuol dire che lo avrà in bocca, – disse; – entra di nuovo, sbattile la coda sul naso, lei starnuterà e starnutando aprirà la bocca, l'anello salterà fuori, tu prendilo svelto e portalo subito qui.

Tutto avvenne proprio come il gatto aveva detto; dopo poco il topolino arrivò con l'anello. Il gatto prese l'anello e a grandi salti corse giú per la scala.

– Hai l'anello? – chiese il cane.

– Certo che ce l'ho, – disse il gatto. Saltarono fuori dal portone e corsero via; ma in cuor suo, il cane si rodeva dalla gelosia, perché era stato il gatto a riprendere l'anello.

Arrivarono al fiume. Il cane disse: – Se mi dài l'anello, ti porto dall'altra parte –. Ma il gatto non voleva e si misero a bisticciare. Mentre bisticciavano il gatto si lasciò sfuggire l'anello. L'anello cascò in acqua; in acqua c'era un pesce che l'inghiottí. Il cane subito afferrò il pesce tra i denti e cosí l'anello l'ebbe lui. Portò il gatto all'altra riva, ma non fecero la pace, e continuando a bisticciare giunsero dal padrone.

– L'avete l'anello? – chiese lui tutto ansioso. Il cane sputò il pesce, il pesce sputò l'anello, ma il gatto disse: – Non è vero che ve lo porta lui, sono io che ho preso l'anello e il cane me l'ha rubato.

E il cane: – Ma se io non pigliavo il pesce, l'anello era perduto.

Allora il giovane si mise a carezzarli tutti e due e disse: – Miei cari, non bisticciate tanto, mi siete cari e preziosi tutti e due –. E per mezz'ora con una mano accarezzò il cane e con l'altra il gatto, finché i due animali non tornarono amici come prima.

Andò con loro nel palazzo; girò l'anello sul dito e disse: – Comando che il mio palazzo stia laggiú dove è quello della mia sposa traditrice, e che la mia sposa traditrice e tutto il suo palazzo vengano quassú dove io sono ora –. E i due palazzi volarono per l'aria e cambiarono di posto: il suo giú nel bel mezzo della pianura e quello di lei su quella cima aguzza con lei dentro che gridava come un'aquila.

Il giovane fece venire anche sua madre e le diede la

vecchiaia felice che le aveva promesso. Il cane e il gatto restarono con lui, sempre con qualche litigio tra loro, ma in complesso stettero in pace. E l'anello? L'anello lo usò, qualche volta, ma non troppo, perché pensava con ragione: «Non è bene che l'uomo abbia troppo facilmente tutto quello che può desiderare».

Sua moglie, quando scalarono la montagna la trovarono morta di fame, secca come un chiodo. Fu una fine crudele, ma non ne meritava una migliore.

(Trentino).

24.
Il braccio di morto

In un villaggio c'era l'usanza che quando moriva un fratello, la sorella doveva vegliarlo per tre notti vicino alla tomba al cimitero, e quando moriva una sorella, doveva vegliarla il fratello. Morí una ragazza, e suo fratello, che era un ragazzo grande e grosso e non aveva paura di nulla, andò al cimitero a vegliarla.

Quando suonò mezzanotte, dalle tombe uscirono tre morti e gli chiesero: – Ci stai a giocare con noi?

– E perché no? – lui rispose, – ma dov'è che volete giocare?

– Noi giochiamo nella chiesa, – dissero. Entrarono in chiesa e lo condussero giú in una cripta sotterranea che era piena di casse da morto mezze marce e di mucchi d'ossa umane alla rinfusa. Presero delle ossa e un cranio, e risalirono in chiesa.

Le ossa, le misero ritte per terra. – Questi sono i nostri birilli –. Presero il cranio. – Questa è la nostra palla –. E incominciarono a giocare ai birilli.

– Ci stai a giocare a soldi?

– Sí che ci sto!

Il giovanotto si mise a giocare a birilli col teschio e le ossa, ed era molto bravo: vinceva sempre lui e guadagnò tutti i soldi che avevano i morti. Quando i morti furono rimasti senza un soldo, riportarono palla e birilli nella cripta e se ne tornarono alle loro tombe.

La seconda notte i morti volevano la rivincita, e si giocarono gli anelli e i denti d'oro: e vinse ancora il gio-

vane. La terza notte fecero ancora una partita, e poi gli
dissero: – Hai vinto di nuovo, e noi non abbiamo piú
niente da darti. Ma poiché i debiti di gioco vanno pa-
gati subito, ti diamo questo braccio di morto che è un
po' secco ma ben conservato e che ti servirà meglio
d'una spada. Qualsiasi nemico tu toccherai con questo
braccio, il braccio l'afferrerà per il petto e lo spingerà
per terra morto cadavere, anche se è un gigante.

I morti se ne andarono e lasciarono il giovanotto con
quel braccio in mano.

L'indomani portò a suo padre il danaro e l'oro guada-
gnati ai birilli e gli disse: – Caro padre, voglio andare
per il mondo a cercarmi fortuna –. Il padre gli diede la
sua benedizione e il giovanotto se ne andò, col braccio
di morto nascosto sotto il mantello.

Arrivò in una gran città, e i muri delle case erano tap-
pezzati di stoffe nere e la gente vestiva in lutto, e anche
le carrozze e i cavalli erano a lutto. – Che è successo
qualcosa? – domandò a un passante, e questi singhioz-
zando gli disse: – Deve sapere che vicino a quella
montagna c'è un castello nero, abitato da stregoni. E
questi stregoni vogliono che ogni giorno sia mandata
loro una creatura umana, che entra nel castello e non
ritorna piú. Prima hanno voluto le ragazze, e il Re ha
dovuto mandare tutte le cameriere e massaie e fornaie
e tessitrici, poi tutte le damigelle della Corte e tutte le
dame, e pochi giorni fa anche la sua unica figliola. E
nessuna ha fatto piú ritorno. Ora il re ci manda i soldati, a tre a tre per vedere se si possono difendere, ma
non torna piú nessuno. Oh, se qualcuno riuscisse a libe-
rarci dagli stregoni, diventerebbe il padrone della città.

– Voglio provare io, – disse il giovane, e si fece subito presentare al Re. – Maestà, voglio andare io da solo
al castello –. Il Re lo guardò bene in viso. – Se ce la
fai, – gli disse, – e se liberi mia figlia, te la darò in moglie ed erediterai il mio regno. Basta che tu riesca a pas-

sare tre notti al castello e l'incantesimo sarà rotto e gli stregoni spariranno. Sui merli del castello c'è un cannone. Se domattina sei ancora vivo, spara un colpo, dopodomani mattina sparane due, e il terzo mattino sparane tre.

Quando si fece sera, il giovanotto andò al castello nero col braccio di morto sotto il mantello. Salí per le scale ed entrò in una sala. C'era un gran tavolo apparecchiato, carico di vivande, ma le sedie avevano la spalliera voltata verso il tavolo. Lasciò tutto come stava, andò in cucina, accese il fuoco, e si sedette vicino al focolare, tenendo il braccio di morto in mano. A mezzanotte sentí delle voci nel camino che gridavano:

Ne abbiamo uccisi tanti,
Ed ora tocca a te!
Ne abbiamo uccisi tanti,
Ed ora tocca a te!

E, tunfete!, dal camino calò uno stregone, e tunfete! ne calò un secondo, e tunfete! un terzo, tutti con delle facce brutte da far paura e dei nasi lunghi lunghi che si piegavano per aria come braccia di polpi e che cercavano d'avvinghiarsi alle mani e alle gambe del giovane. Lui capí che soprattutto doveva guardarsi da quei nasi, e si mise a difendersi col braccio di morto, come facesse la scherma. Toccò col braccio di morto uno stregone sul petto: e niente. Ne toccò un altro sulla testa: e niente. Al terzo lo toccò sul naso e la mano di morto afferrò quel naso e gli diede un tale strattone che lo stregone morí. Il giovanotto capí che il naso degli stregoni era pericoloso, ma era anche il loro punto debole, e si mise a mirare al naso. Il braccio di morto afferrò per il naso anche il secondo, e l'ammazzò; e cosí fece col terzo. Il giovanotto si fregò le mani e andò a dormire.

Al mattino salí sui merli e sparò il cannone: «Bum!»

Di laggiú, dal paese dove tutti stavano in ansia, si vide un grande agitare di fazzoletti listati a lutto.

Quando la sera entrò di nuovo nella sala, trovò già una parte delle sedie voltate e messe nella posizione giusta. E dalle altre porte entrarono dame e damigelle tristi e vestite a lutto, e gli dissero: – Resistete, per carità! Liberateci! – Poi si sedettero a tavola e mangiarono. Dopo cena se ne andarono tutte, con grandi riverenze. Lui andò in cucina, si sedette sotto il camino e aspettò la mezzanotte. Quando batté il dodicesimo rintocco, dalla cappa si sentirono di nuovo le voci:

Ci hai ucciso tre fratelli,
Ed ora tocca a te!
Ci hai ucciso tre fratelli,
Ed ora tocca a te!

E tunfete, tunfete, tunfete, tre stregoni dal lungo naso piombarono giú dal camino. Il giovanotto, brandendo il braccio di morto, non ci mise molto ad afferrarli per il naso e a stenderli cadaveri tutti e tre.

Alla mattina sparò due cannonate: «Bum! Bum!», e giú al paese vide agitarsi tanti fazzoletti bianchi: s'erano tolti la lista nera da lutto.

La terza sera trovò che le sedie voltate nella sala erano ancora di piú, e le giovani nerovestite entrarono ancora piú numerose della sera prima. – Solo oggi ancora, – lo implorarono, – e ci libererai tutte! – Poi mangiarono con lui e se ne andarono di nuovo. E lui si sedette al solito posto in cucina. A mezzanotte le voci che si misero a gridare nel camino parevano un coro:

Ci hai ucciso sei fratelli,
Ed ora tocca a te!
Ci hai ucciso sei fratelli,
Ed ora tocca a te!

E tunfete, tunfete, tunfete, tunfete, venne giú una pioggia di stregoni che non finiva piú, tutti coi lunghi nasi tesi avanti, ma il giovanotto mulinava il braccio di morto e tanti ne venivano, tanti ne ammazzava, e senza sforzo, perché bastava che quella manaccia rinsecchita li pigliasse sul naso ed erano cadaveri. Se ne andò a dormire proprio soddisfatto, e, appena il gallo cantò, tutto nel castello tornò a vivere, e un corteo di signorine e nobildonne, con i vestiti a strascico, entrarono in cucina a ringraziarlo e riverirlo. Nel bel mezzo del corteo avanzava la Principessa. Giunta di fronte al giovane, gli gettò le braccia al collo, e disse: – Voglio che tu sia il mio sposo!

A tre a tre entrarono i soldati liberati, e fecero il presentatarm.

– Salite sui merli del castello, – ordinò il giovane, – e sparate tre colpi di cannone –. Si sentí tuonare il cannone e dal paese si vide un agitarsi di fazzoletti gialli verdi rossi azzurri e l'eco di un suonare di trombe e di grancasse.

Il giovanotto scese dalla montagna col corteo della gente liberata ed entrò in paese: i drappi neri erano scomparsi e non si vedevano che bandiere e nastri colorati che s'agitavano al vento. C'era il Re ad aspettarli, con la corona tutta infiorata. Lo stesso giorno furono celebrate le nozze e fu una festa cosí grande che se ne parla ancora.

(Trentino).

25.

Bella Fronte

Una volta c'era un figlio che, terminate le scuole, suo padre gli disse: – Figlio, ora che hai finiti i tuoi studi, sei nell'età giusta per metterti a viaggiare. Ti darò un bastimento, perché tu cominci a caricare, scaricare, vendere e comprare. Sta' attento a quel che fai, perché voglio che tu impari presto a guadagnare!

Gli diede settemila scudi per comprare mercanzia; e il figlio si mise in viaggio. Viaggiava già da un po', e non aveva ancora comprato niente, quando arrivò a un porto e vide un cataletto[1] in riva al mare, e tutti quelli che passavano ci mettevano un soldo d'elemosina.

Domandò: – Perché tenete qua questo morto? I morti vogliono essere seppelliti.

– È uno che è morto carico di debiti, – gli risposero, – e qui si costuma cosí: che se uno non ha pagato i suoi debiti non lo si seppellisce. E finché a questo qui non gli avranno pagato i debiti con le elemosine, non lo porteremo a seppellire.

– Allora fate la grida che tutti quelli che avanzano qualcosa da lui, vengano da me a farsi pagare. E portatelo subito a seppellire.

Fecero la grida, e lui pagò tutti i debiti e restò senza un quattrino. Tornò a casa. – Che novità? – gli chiese il padre. – Cosa vuol dire che sei tornato cosí presto?

1. Una bara.

E lui: – Sono andato per mare, ho incontrato i corsari, e m'hanno svaligiato di tutto il capitale!

– Fa niente, figlio, basta che t'abbiano lasciato la vita! Te ne darò ancora, ma tu non stare ad andare piú da quelle parti –. E gli diede altri settemila scudi.

– Sí, messer padre, state sicuro che cambierò strada! – e ripartí.

In mezzo al mare, vide un bastimento turco. Il giovane si disse: «Qui è meglio fare gli amici: andare noi a fargli visita e invitarli a fare altrettanto». Salí a bordo dai Turchi, e chiese: – Donde venite?

Gli risposero: – Noialtri veniamo dal Levante!

– E che carico avete?

– Di niente. Solo di una bella giovane!

– E a chi la portate questa giovane?

– A chi vuole comprarla, noialtri la vendiamo. È la figlia del nostro Sultano e noialtri l'abbiamo rubata da tanto bella che è!

– Fatemela un po' vedere –. E quando l'ebbe vista, chiese: – Quanto ne volete?

– Noialtri ne vogliamo settemila scudi!

Cosí il giovane diede a quei corsari tutti i soldi che gli aveva dato suo padre, e si portò la giovane sul suo bastimento. La fece battezzare e la sposò; e tornò a casa da suo padre.

– Benvenuto, o mio figliolo bello,
  Che mercanzia preziosa fatto avete?
– Padre mio, io vi porto un bel gioiello,
  Lo porto per l'orgoglio che ne avrete,
  Non mi costa né un porto né un castello,
  Ma mai piú bella donna visto avete.
  La figlia del Sultan, che d'in Turchia
  Io porto per mia prima mercanzia!

– Ah, pezzo di mariolo! È questo il carico che hai fatto? – e il padre li malmenò tutti e due e li cacciò fuori di casa.

Quei meschini non sapevano come trovare da mangiare.

– Come faremo? – si chiedeva lui. – Io non ho né arte né parte!

Ma lei gli disse: – Senti, io so fare delle belle pitture. Io le farò e tu andrai a venderle. Ma ricordati che non devi dire a nessuno che li faccio io.

Intanto, in Turchia, il Sultano aveva mandato fuori tanti bastimenti in cerca di sua figlia. E uno di questi bastimenti, per combinazione, arrivò nel paese dove i due sposi si trovavano. Scesero a terra molti uomini, e quel giovane, vedendo tanta gente, disse alla sposa: – Fa' molte pitture che oggi le venderemo.

Lei le fece e gli disse: – Tieni, ma a meno di venti scudi l'una non starle a vendere.

Lui le portò in piazza. Vennero i Turchi, diedero un'occhiata alle pitture e dissero fra loro: – Ma queste sono della figlia del Sultano! Non c'era che lei che sapeva farne uguali! – Si fanno avanti e gli chiedono a quanto le vende.

– Le vendo care, – disse lui. – Non le do a meno di venti scudi.

– Bene, le compriamo. Ma ne vogliamo delle altre.

E lui: – Venite a casa da mia moglie: è lei che le fa.

I Turchi andarono e videro la figlia del Sultano. La presero, la legarono, e se la portarono in Turchia.

Lo sposo restò lí disperato, senza moglie, senza mestiere e senza un soldo. Andava ogni giorno alla marina, a vedere se c'era un bastimento che volesse prenderlo a bordo, ma non ne trovava mai. Un giorno, trova un vecchio su una battellina che pescava. E gli fa: – Buon vecchio, quanto meglio di me voi state!

– Perché, caro figlio? – disse il vecchio.

– Buon vecchio, come vorrei venire a pescare con voi!

– Se vuoi venire con me, sali a bordo!

121

Tu con la canna, io con la battella
Forse ci pescheremo una sardella!

E il giovane salí. Fecero un patto: che avrebbero diviso sempre tutto nella vita: il male e il bene; e per incominciare il vecchio divise con lui la sua cena.

Dopo mangiato, si misero a dormire; e intanto, tutt'a un tratto, si levò una tempesta. Il vento prese la nave, la portò via sulle onde, e finí per sbatterla in Turchia.

I Turchi, vedendo capitare questa barca, la presero, fecero schiavi i due pescatori e li portarono davanti al Sultano. Il Sultano li mandò in giardino: il vecchio a fare l'ortolano e il giovane a tirar su i fiori. Nel giardino del Sultano, i due schiavi stavano proprio bene, avevano fatto amicizia con gli altri giardinieri; il vecchio fabbricava chitarre, violini, flauti, clarinetti, ottavini; e il giovane suonava tutti gli strumenti e cantava canzoni.

La figlia del Sultano era chiusa per castigo in una torre alta alta, con le sue damigelle. E a sentir suonare e cantare cosí bene, pensava al suo sposo lontano. – Solo Bella Fronte, – (perché lei lo chiamava Bella Fronte), – sapeva suonare tutti gli strumenti, ma d'ogni strumento era piú dolce la sua voce. Chi è che suona e che canta nel giardino?

E guardando attraverso le persiane – perché non le poteva aprire – riconobbe nel giovane che suonava in giardino il suo sposo.

Ogni giorno le damigelle andavano dai giardinieri a farsi riempire una gran cesta di fiori. E la figlia del Sultano disse loro: – Mettete quel giovane nella cesta, copritelo di fiori, e portatelo qui!

Tra damigelle e giardinieri, tanto per ridere, lo fecero entrare nella cesta, e le damigelle lo portarono su. Quando fu nella torre, sbucò di tra i fiori e si trovò di fronte sua moglie! S'abbracciarono, si baciarono, si raccontarono tutto: e subito studiarono il modo di scappare.

Fecero caricare un gran bastimento di perle, pietre preziose, verghe d'oro, gioielli; e fecero calare nella stiva prima Bella Fronte, poi la figlia del Sultano, poi tutte le damigelle una per una. E il bastimento salpò.

Mentre erano già al largo, Bella Fronte si ricordò del vecchio e disse alla sposa: – Mia cara, forse perderò la vita, ma devo tornare indietro: non posso tradire la parola data! Ho fatto un patto con quel vecchio che avremmo diviso sempre il male e il bene!

Tornarono indietro e il vecchio era sulla spiaggia ad aspettarli. Lo fecero salire a bordo e ripresero il largo.

– Buon vecchio, – gli disse Bella Fronte, – facciamo le parti. Di tutte queste ricchezze, ne viene metà a te e metà a me.

– E anche di tua moglie, – disse il vecchio, – ne viene metà a te e metà a me!

Allora gli disse il giovane: – Buon vecchio, io ti devo molto: lascerò a te tutte le ricchezze di questa nave. Ma mia moglie lasciala tutta per me.

E il vecchio: – Sei un giovane generoso. Sappi che io sono l'anima di quel morto che tu hai fatto seppellire. Se tu hai avuto tutta questa fortuna è per quella buona azione che hai compiuto.

Gli diede la benedizione e sparí.

Il bastimento arrivò al paese con gran colpi di cannone: arrivava Bella Fronte con la moglie, il piú ricco signore del mondo. Sulla riva c'era suo padre che voleva riabbracciarlo.

Vissero in pace e in carità
E a me mai nessuno niente dà.

(Istria).

26.

I tre cani

C'era una volta un vecchio contadino che aveva un
figlio e una figlia. Quando venne a morire, li chiamò al
suo capezzale e disse: – Figlioli miei, sto per morire e
non ho nulla da lasciarvi: solo tre pecorine nella stalla.
Cercate d'andar d'accordo, e non avrete da patir la
fame.

Quando fu morto, fratello e sorella seguitarono a stare insieme: il ragazzo andava dietro alle pecore e la ragazza stava a casa a filare e a far da mangiare. Un giorno che il ragazzo era con le pecore nel bosco, passò un
omino con tre cani.

– Buon giorno a te, bambino.

– Buon giorno a lei, omino.

– Che belle pecorelle hai!

– Anche lei ha tre bei cani.

– Ne vuoi comprare uno?

– Quanto costa?

– Se mi dài una pecorella, io ti do uno dei miei cani.

– E poi cosa mi dice mia sorella?

– Cosa ti deve dire? Di un cane avete pur bisogno,
per guardare le pecore!

Il ragazzo si persuase: gli dette una pecora e si prese
un cane. Chiese come si chiamava e l'omino gli disse:
– Spezzaferro.

Quando fu ora d'andare a casa, aveva il cuore che gli
batteva perché certo sua sorella l'avrebbe strapazzato.
Difatti, quando la ragazza andò per mungere le pecore

nella stalla, vide che c'erano due pecore e un cane, e cominciò a dirgliene di tutti i colori e a bastonarlo.

– Che ce ne facciamo d'un cane, me lo sai dire? Se domani non mi riporti tutte e tre le pecore, te la faccio vedere io!

Ma poi si persuase che per far la guardia alle pecore, un cane ci voleva.

L'indomani il ragazzo andò nello stesso posto e incontrò di nuovo quell'omino con i due cani e la pecorella.

– Buon giorno a te, bambino.

– Buon giorno a lei, omino.

– La pecorella mi muore di malinconia, – disse l'omino.

– Anche il mio cane muore di malinconia, – disse il bambino.

– Allora dammi un'altra pecorella e io ti do un altro cane.

– Mamma mia! Mia sorella mi voleva mangiare, per una pecora sola! Figuriamoci se ne do via un'altra!

– Guarda: un cane solo non ti serve a niente: se vengono due lupi come ti salvi?

E il ragazzo acconsentí.

– Come si chiama?

– Schiantacatene.

Quando rincasò alla sera con una pecora e due cani, e la sorella gli domandò: – Le hai riportate tutte e tre, le pecorelle? – non sapeva cosa rispondere.

Disse: – Sí, però non c'è bisogno che tu venga nella stalla, le mungo io.

Ma la ragazza volle andare a vedere e il fratello finí a letto senza cena. – Se domani non tornano tutte e tre le pecore io t'ammazzo, – gli disse la sorella.

L'indomani, mentre pascolava nel bosco, vide passare l'omino con le due pecore e l'ultimo cane.

– Buon giorno a te, bambino.

– Buon giorno a lei, omino.

– Io ora ho questo cane che mi muore di malinconia.

– E la mia pecorella anche.

– Dammi quella pecorella e prenditi questo cane.

– No, no, non parliamone nemmeno.

– Ora ne hai due: perché non vuoi il terzo? Almeno avrai tre cani uno meglio dell'altro.

– Il suo nome?

– Spaccamuro.

– Spezzaferro, Schiantacatene, Spaccamuro, venite con me.

Quando fu sera, il ragazzo di tornare a casa dalla sorella non ebbe il coraggio. «È meglio che vada a girare il mondo», pensò.

E cammina e cammina, con i cani che gli battevano la strada per boschi e per valli. Cominciò a piovere a dirotto, s'era fatto buio e non sapeva piú dove andare. In fondo al bosco, vide un bel palazzo illuminato, cinto da un alto muro. Il ragazzo bussa; nessuno apre. Chiama; nessuno risponde. Allora: – Spaccamuro, aiutami tu.

Non aveva ancora finito di dirlo, che Spaccamuro con due zampate aveva rotto la muraglia.

Il ragazzo e i cani passarono, ma si trovarono di fronte a una fitta cancellata di ferro. – Spezzaferro, a te! – disse il ragazzo, e Spezzaferro con due morsi mandò il cancello in pezzi.

Ma il palazzo aveva una porta, chiusa da pesanti catenacci. – Schiantacatene! – chiamò il ragazzo, e il cane con un morso liberò la porta che s'aperse.

I cani s'infilarono per le scale, e il ragazzo dietro. Nel palazzo non si vedeva anima viva. C'era un bel caminetto acceso e una tavola imbandita con ogni ben di Dio. Si sedette a mangiare, e sotto la tavola c'erano tre scodelle con la zuppa per i cani. Finito di mangiare andò di là e c'era un letto pronto per dormire e tre cucce per i cani. La mattina quando s'alzò trovò preparato lo schioppo e il cavallo per andare a caccia. Andò a caccia, e quando rincasò trovò la tavola preparata con il pranzo, il letto rifatto, e tutto lustro e pulito. Cosí passavano i giorni, e lui non vedeva mai nessuno e tutto quel che desiderava l'aveva, insomma viveva da signore. Allora cominciò a pensare a sua sorella, che poverina chissà che vita grama faceva, e si disse: «Voglio andare a prenderla e farla stare insieme a me, tanto adesso che si sta cosí bene non mi sgriderà piú se non riporto a casa le pecore».

L'indomani prese con sé i cani, montò a cavallo, tutto vestito da signore, e andò a casa da sua sorella. Quando arrivò, la sorella, che stava sulla soglia a filare, lo vide venire da distante e disse: «Chi sarà mai quel bel signore che viene da me?» Ma quando vide che era suo fratello sempre con quei cani invece delle pecore, cominciò a fargli una delle solite sue scene.

Ma il fratello le disse: – Va' là, cosa vuoi ancora sgridarmi, che io faccio una vita da signore e sono venuto a prenderti con me, ora che non abbiamo piú bisogno delle pecore!

La issò a cavallo e la condusse nel palazzo dove visse anche lei da gran signora. Tutto quel che le veniva in mente, subito l'aveva. Però i cani continuava a non poterli soffrire, e tutte le volte che il fratello rincasava, lei riattaccava a brontolare.

Un giorno che il fratello era andato a caccia coi tre cani, lei uscí in giardino e vide laggiú in fondo una bella melarancia; andò per coglierla e mentre la spiccava dal ramo, saltò fuori un Drago e le s'avventò contro per mangiarla. Lei cominciò a piangere e a raccomandarsi, a dire che non era lei, ma suo fratello che era entrato per primo nel giardino, e che caso mai doveva esser mangiato suo fratello. Il Drago le rispose che suo fratello non si poteva mangiare perché era sempre con quei tre cani. La ragazza chiese al Drago che le dicesse cosa doveva fare, e lei, pur di salvarsi la vita, gli avrebbe fatto mangiare suo fratello; e il Drago le disse di far legare i cani con catene di ferro, al di là del cancello e del muro del giardino. La ragazza promise e il Drago la lasciò andare.

Quando il ragazzo tornò a casa, la sorella cominciò a brontolare che non voleva piú avere intorno quei cagnacci mentre mangiava, perché puzzavano. E il fratello, che aveva sempre la pazienza di contentarla in tutto, andò a legarli come lei diceva. Poi lei gli disse d'andarle a prendere quella melarancia che era in fondo al giardino, e il ragazzo ci andò. Stava per spiccarla, quando saltò fuori il Drago. Il ragazzo, comprendendo il tradimento della sorella, chiamò: – Spezzaferro! Schiantacatene! Spaccamuro! – E Schiantacatene schiantò le catene, Spezzaferro spezzò le sbarre del cancello, Spaccamuro aperse il muro a zampate; arrivarono addosso al Drago e lo sbranarono.

Il ragazzo tornò dalla sorella e disse: – Basta! È questo il bene che mi vuoi? Mi volevi far mangiare dal Drago! Adesso con te non ci voglio piú stare.

Salí a cavallo e andò in giro per il mondo, coi tre cani. Arrivò da un Re, che aveva una sola figlia, e c'era un Drago che se la doveva mangiare. Si presentò dal Re e gli disse che voleva questa figlia in sposa. Il Re gli disse: – Mia figlia non te la posso dare perché la deve mangiare un terribile animale; se però tu sei buono a liberarla, resta inteso che è tua!

– Bene, Maestà, ci penso io; non vi preoccupate –. Andò a cercare il Drago, l'attaccò e i cani se lo mangiarono. Tornò vincitore e il Re lo fidanzò a sua figlia.

Venne il giorno delle nozze, e lo sposo, dimenticando quel che era stato, fece venire sua sorella. Dopo lo sposalizio, la sorella che aveva sempre il dente avvelenato contro il fratello disse: – Stasera voglio preparare io il letto a mio fratello, – e tutti, credendo a un gesto di brava sorella, dissero di sí. Invece lei, nel posto dello sposo, mise sotto le lenzuola una sega affilata. La sera il fratello si coricò e restò tagliato in due. Lo portarono in chiesa con gran pianti, coi tre cani fedeli dietro al feretro: poi chiusero la porta e i tre cani restarono dentro a guardare la salma, uno dalla parte destra, uno dalla parte sinistra e uno dalla parte della testa.

Quando i cani videro che non c'era piú nessuno, uno di loro parlò e disse: – Ora vado e lo piglio.

E un altro: – E io lo porto.

– E io l'ungo, – disse il terzo.

Cosí due dei cani andarono via e tornarono con un vasetto di unguento, e l'altro che era rimasto di guardia unse la ferita con quell'unguento e il giovane tornò sano di nuovo.

Il Re fece ricercare chi avesse messo la sega nel letto, e scoperto che era stata la sorella, la fece condannare a morte.

Il giovane ora era felice con la sua sposa, tanto piú che il vecchio Re, stanco, abdicò e lui salí al trono. Ma aveva un unico dispiacere, che i tre cani erano spariti e per quanto li avesse fatti cercare per tutto il Regno non era stato possibile trovarli. Pianse, si disperò, ma dovette rassegnarsi.

Una mattina, gli fu annunziato un Ambasciatore, e quest'Ambasciatore gli fece noto che c'erano tre bastimenti ancorati al largo che portavano tre gran personaggi, e questi personaggi volevano riannodare la loro antica amicizia con lui. Il giovane Re sorrise, perché lui era stato sempre un contadino, e gran personaggi non ne aveva mai conosciuti. Ciononostante seguí l'Ambasciatore per incontrare questi che si dichiaravano suoi amici. Trovò due Re e un Imperatore che gli fecero grandi feste dicendogli: – Non ci riconosci?

– Ma guardate che dovete esservi sbagliati, – disse
lui.

– Ah, non avremmo mai creduto che ti saresti dimenticato dei tuoi fedelissimi cani!

– Come? – esclamò lui. – Spezzaferro, Schiantacatene e Spaccamuro? Trasformati in questo modo?

Gli risposero: – Eravamo stati trasformati in cani da
un Mago, e non potevamo tornare quelli che eravamo,
finché un contadino non fosse messo in trono. Dunque
dobbiamo esser grati a te, come tu devi esser grato a
noi, perché ci siamo aiutati a vicenda. D'ora in avanti
saremo sempre buoni amici e in ogni circostanza ricordati che hai due Re e un Imperatore sempre disposti ad
aiutarti.

Si trattennero diversi giorni in città, tra grandi feste.
Venuto il giorno della partenza, si divisero augurandosi
ogni bene e furono sempre felici.

(Romagna).

27

Giricoccola

Un mercante che aveva tre figlie, doveva andare in viaggio per certi suoi negozi. Disse alle figlie: – Prima di partire vi farò un regalo, perché voglio lasciarvi contente. Ditemi cosa volete.

Le ragazze ci pensarono su e dissero che volevano oro argento e seta da filare. Il padre comprò oro argento e seta, e poi partí raccomandando che si comportassero bene.

La piú piccola delle tre sorelle, che si chiamava Giricoccola, era la piú bella, e le sorelle erano sempre invidiose. Quando il padre fu partito, la piú grande prese l'oro da filare, la seconda prese l'argento, e la seta la diedero a Giricoccola. Dopo pranzo si misero a filare tutte e tre alla finestra, e la gente che passava guardava in su alle tre ragazze, le passava in rassegna e sempre gli occhi di tutti si fissavano sulla piú piccina. Venne sera e nel cielo passò la Luna; guardò alla finestra e disse:

Quella dell'oro è bella,
Quella dell'argento è piú bella,
Ma quella della seta le vince tutte,
Buona notte belle e brutte.

A sentir questo le sorelle le divorava la rabbia, e decisero di scambiarsi il filo. L'indomani diedero a Giricoccola l'argento e dopopranzo si misero a filare alla finestra. Quando passò verso sera la Luna, disse:

Quella dell'oro è bella,
Quella della seta è piú bella,

Ma quella dell'argento le vince tutte,
Buona notte belle e brutte.

Le sorelle, piene di rabbia, presero a fare a Giricoccola tanti sgarbi, che ci voleva la pazienza di quella poverina per sopportarli. E nel pomeriggio dell'indomani, mettendosi a filare alla finestra, diedero a lei l'oro, per vedere cosa avrebbe detto la Luna. Ma la Luna, appena passò, disse:

Quella che fila l'argento è bella,
Quella della seta è piú bella,
Ma quella dell'oro le vince tutte,
Buona notte belle e brutte.

Ormai di Giricoccola le sorelle non potevano nemmeno sopportarne la vista: la presero e la rinchiusero su in granaio. La povera ragazza se ne stava lí a piangere, quando la Luna aperse la finestrella con un raggio, le disse: – Vieni, – la prese per mano e la portò via con sé.

Il pomeriggio seguente le due sorelle filavano da sole alla finestra. Di sera, passò la Luna e disse:

Quella che fila l'oro è bella,
Quella dell'argento è piú bella,
Ma quella che è a casa mia le vince tutte,
Buona notte belle e brutte.

Le sorelle, a sentir questo, corsero a vedere su in granaio: Giricoccola non c'era piú. Mandarono a chiamare un'astrologa, che strologasse dov'era la sorella. L'astrologa disse che Giricoccola era in casa della Luna e non era mai stata tanto bene.

– Ma come possiamo fare per farla morire? – chiesero le sorelle.

– Lasciate fare a me, – disse l'astrologa. Si vestí da zingara e andò sotto le finestre della Luna, gridando le sue mercanzie.

Giricoccola s'affacciò, e l'astrologa le disse: – Vuole questi begli spilloni? Guardi, glieli do per poco!

A Giricoccola quegli spilloni piacevano davvero, e fece entrare in casa l'astrologa. – Aspetti che gliene metto uno io nei capelli, – disse l'astrologa e glielo cacciò in capo: Giricoccola diventò subito una statua. L'astrologa scappò a raccontarlo alle sorelle.

Quando la Luna tornò a casa dopo il suo giro intorno al mondo, trovò la ragazza diventata statua e prese a dire: – Ecco, te l'avevo detto di non aprire a nessuno, m'hai disubbidito, meriteresti che ti lasciassi cosí –. Ma finí per averne compassione e le tirò via lo spillone dal capo: Giricoccola tornò a vivere come prima, e promise che non avrebbe aperto piú a nessuno.

Dopo un po' le sorelle tornarono dall'astrologa, a chiederle se Giricoccola era sempre morta. L'astrologa consultò i suoi libri magici, e disse che, non capiva come mai, la ragazza era di nuovo viva e sana. Le sorelle ricominciarono a pregarla di farla morire. E l'astrologa tornò sotto le finestre di Giricoccola con una cassetta di pettini. La ragazza a vedere quei pettini non seppe resistere e chiamò la donna in casa. Ma appena ebbe in testa un pettine, eccola ridiventata statua, e l'astrologa scappò dalle sorelle.

La Luna rincasò e a vederla di nuovo statua, s'inquietò e gliene disse di tutti i colori. Ma quando si fu sfogata, le perdonò ancora e le tolse il pettine di testa; la ragazza risuscitò. – Però se succede ancora una volta, – le disse, – ti lascio morta –. E Giricoccola promise.

Ma figuriamoci se le sorelle e l'astrologa s'arrendevano! Venne con una camicia ricamata, la piú bella che si fosse mai vista. A Giricoccola piaceva tanto che volle provarla, e appena l'ebbe indossata diventò statua. La Luna, stavolta, non ne volle piú sapere. Statua com'era, per tre centesimi la vendette a uno spazzacamino.

Lo spazzacamino girava le città con la bella statua legata al basto del suo asino, finché non la vide il figlio del Re, che ne rimase innamorato. La comprò a peso d'oro, la portò nella sua stanza e passava le ore ad adorarla; e quando usciva chiudeva la stanza a chiave, perché voleva esser solo lui a goderne la vista. Ma le sue sorelle, dovendo andare a una gran festa da ballo, volevano farsi una camicia uguale a quella della statua, e mentre il fratello era fuori, con una chiave falsa entrarono per toglierle la camicia.

Appena la camicia fu sfilata, Giricoccola si mosse e tornò viva. Le sorelle per poco non morirono loro dallo spavento, ma Giricoccola raccontò la sua storia. Allora la fecero nascondere dietro una porta, e aspettare che tornasse il fratello. Il figlio del Re, non vedendo piú la sua statua, fu preso dalla disperazione, ma saltò fuori Giricoccola e gli raccontò tutto. Il giovane la portò subito dai genitori presentandola come la sua sposa. Le nozze furono subito celebrate, e le sorelle di Giricoccola lo seppero dall'astrologa e morirono di rabbia immantinenti.

(Bologna).

28.

Il gobbo Tabagnino

Il gobbo Tabagnino era un povero ciabattino che non sapeva come fare a tirare avanti, perché nessuno gli dava mai neanche da rattoppare una scarpa. Si mise a girare il mondo in cerca di fortuna. Quando fu sera e non sapeva dove andare a dormire, vide un lumino in lontananza, e tenendo dietro al lumino, arrivò a una casa e bussò. Aperse una donna e lui domandò alloggio.

– Ma questa, – disse la donna, – è la casa dell'Uomo Selvatico, che mangia tutti quelli che trova. Se vi faccio entrare, mio marito mangerà anche voi.

Il gobbo Tabagnino la pregò e la supplicò, e la donna si mosse a compassione e gli disse: – Entrate pure, e se vi accontentate, vi seppellirò sotto la cenere.

Cosí fece, e quando arrivò l'Uomo Selvatico e cominciò a girare per la casa tirando su dal naso e dicendo:

Ucci ucci
Qui c'è puzza di cristianucci
O ce n'è o ce n'è stati
O ce n'è di rimpiattati,

sua moglie gli disse: – Vieni a mangiare, cosa vai a pensare ora? – E gli serví una gran caldaia di maccheroni.

Si misero a mangiare maccheroni marito e moglie, e l'Uomo Selvatico fece una tale scorpacciata che a un certo punto disse: – Basta, io sono pieno e non ne mangio piú. Questi che sono avanzati, se c'è qualcuno in casa, dàlli a lui.

135

– C'è un povero omino che mi ha domandato alloggio per stanotte, – disse la moglie. – Se mi prometti di non mangiarlo, lo faccio uscire.

– Fallo uscire pure –. E la donna tirò fuori dalla cenere il gobbo Tabagnino e lo fece sedere a tavola. Davanti all'Uomo Selvatico, il povero gobbino tutto coperto di cenere tremava come una foglia, ma si fece coraggio e mangiò i maccheroni.

– Per stasera non ho piú fame, – disse l'Uomo Selvatico al gobbo, – ma domattina, v'avverto, se non farete presto a scappare, vi mangerò in un boccone.

Cosí attaccarono a discorrere da buoni amici, e il gobbo, che era furbo come il diavolo, cominciò a dirgli: – Che bella coperta che avete sul letto!

E l'Uomo Selvatico: – È tutta ricamata d'oro e d'argento, e con la frangia tutta d'oro.

– E quel comò?

– Ci sono dentro due sacchi di quattrini.

– E quella bacchetta dietro il letto?

– È per far venire il bel tempo.

– E questa voce che si sente?

– È un pappagallo che tengo nel pollaio, e che discorre come noialtri.

– Ne avete di belle cose!

– Eh, non sono mica tutte qui! Nella stalla ho una cavalla di una bellezza mai vista, che corre come il vento.

Dopo cena, la moglie riportò Tabagnino nel suo buco sotto la cenere, e poi andò a dormire col marito. Appena fu giorno, la donna andò a chiamare Tabagnino. – Su, presto, scappate, prima che s'alzi mio marito! – Il gobbo ringraziò la donna e andò via.

Girò e girò finché arrivò al palazzo del Re di Portogallo e chiese ospitalità. Il Re lo volle vedere e gli fece raccontare la sua storia. A sentire tutte le belle cose che aveva in casa l'Uomo Selvatico, il Re fu preso da una gran voglia, e disse a Tabagnino: – Sentimi bene, tu potrai restare qui nel palazzo e fare tutto quello che ti piacerà, ma io voglio una cosa da te.

– Dica pure, Maestà.

– Hai detto che l'Uomo Selvatico ha una bella coperta ricamata d'oro e d'argento e con la frangia tutta d'oro. Ebbene devi andare a prenderla e portarmela, se no ne andrà della tua testa.

– Ma come vuole che faccia? – disse il gobbo. – L'Uomo Selvatico mangia tutti. È lo stesso che dire che mi manda alla morte.

– Questo non m'interessa. Pensaci tu e arrangiati.

Il povero gobbo ci pensò su e quand'ebbe ben pensato, andò dal Re e gli disse: – Sacra Corona, mi dia un cartoccio pieno di calabroni vivi, che siano digiuni da sette od otto giorni, e io le porterò la coperta –. Il Re mandò l'esercito ad acchiappare i calabroni e li diede a Tabagnino. – Eccoti questa bacchetta, – gli disse –. È fatata e ti potrà venire buona. Quando avrai da passare dell'acqua, battila per terra e non aver paura. Anzi, intanto che tu vai là, io andrò ad aspettare in quel palazzo di là dal mare.

Il gobbo andò alla casa dell'Uomo Selvatico, stette a origliare, e capí che erano a cena. S'arrampicò alla finestra della camera da letto, entrò e si nascose sotto il letto. Quando l'Uomo Selvatico e sua moglie andarono a letto e s'addormentarono, il gobbo cacciò il cartoccio pieno di calabroni sotto le coperte e le lenzuola, e l'aperse. I calabroni, sentendo quel bel calduccio, vennero fuori e si misero a ronzare e a punzecchiare.

L'Uomo Selvatico cominciò ad agitarsi, buttò giú la coperta e il gobbo l'arrotolò sotto il letto. I calabroni s'arrabbiarono e si misero a pungere a tutt'andare; l'Uomo Selvatico e sua moglie scapparono gridando; e Tabagnino quando fu solo scappò anche lui, con la coperta sotto il braccio.

Dopo un po', l'Uomo Selvatico s'affacciò alla finestra e chiese al pappagallo che era nel pollaio: – Pappagallo, che ora è?

E il pappagallo: – È l'ora che il gobbo Tabagnino porta via la tua bella coperta!

L'Uomo Selvatico corse nella stanza e vide che la coperta non c'era piú. Allora prese la cavalla, e via al galoppo, finché non avvistò il gobbo di lontano. Ma Tabagnino era già arrivato alla riva del mare, batteva per terra la bacchetta che gli aveva dato il Re, l'acqua s'apriva e lo faceva passare; e appena fu passato si tornò a rinchiudere. L'Uomo Selvatico, fermo sulla riva, si mise a gridare:

O Tabagnino di tredici mesi,
Quand'è che torni in questi paesi?
Ti voglio mangiare un dí di quest'anno,
E se non ti mangerò, sarà mio danno.

Al vedere la coperta, il Re cominciò a saltare dall'allegria. Ringraziò il gobbo, ma poi gli disse: – Tabagnino, come sei stato bravo di portargli via la coperta, sarai buono a portargli via anche la bacchetta che fa venire il bel tempo.

– Ma come volete che faccia, Sacra Corona?

– Pensaci bene, se no la pagherai con la testa.

Il gobbo ci pensò, poi chiese al Re un sacchetto di noci.

Arrivò alla casa dell'Uomo Selvatico, stette ad ascoltare, e sentí che andavano a letto. S'arrampicò in cima al tetto, e cominciò a buttare manciate di noci sulle tegole. L'Uomo Selvatico, a questo picchiettio sulle tegole, si svegliò e disse alla moglie: – Senti che grandinata! Va' subito a mettere sul tetto la bacchetta, se no la grandine mi rovina il frumento.

La donna s'alzò, aperse la finestra, e mise la bacchetta sul tetto dove c'era Tabagnino pronto a prenderla e a scappar via.

Di lí a poco, l'Uomo Selvatico si alzò, contento che avesse smesso di grandinare, e andò alla finestra.

– Pappagallo, che ora è?

E il pappagallo: – È l'ora che il gobbo Tabagnino ti porta via la bacchetta del bel tempo.

L'Uomo Selvatico prese la cavalla e via al galoppo dietro al gobbo. Lo stava già per raggiungere sulla spiaggia, ma Tabagnino batté la bacchetta, il mare s'aperse, lo fece passare e si rinchiuse. L'Uomo Selvatico gridò:

O Tabagnino di tredici mesi,
Quand'è che torni in questi paesi?
Ti voglio mangiare un dí di quest'anno,
E se non ti mangerò, sarà mio danno.

Al vedere la bacchetta, il Re non stava piú nella pelle dall'allegria. Ma disse: – Adesso devi andarmi a prendere le due borse di quattrini.

Il gobbo ci pensò su; poi si fece preparare degli arnesi da taglialegna, si cambiò d'abiti, si mise una barba finta e andò dall'Uomo Selvatico, con un'accetta, dei cunei, e una mazza. L'Uomo Selvatico non aveva mai visto Tabagnino di giorno, e poi lui, dopo un po' di tempo di buoni pasti al palazzo del Re, era anche un po' meno gobbo; quindi non lo riconobbe.

Si salutarono. – Dove andate?

– Per legna!

– Oh, qui nel bosco di legna ce n'è quanta ne volete!

Allora Tabagnino prese i suoi arnesi e si mise a lavorare attorno a una quercia grossissima. Ci piantò un cuneo, poi un altro, poi un altro ancora e prese a dargli colpi di mazza. Poi cominciò a impazientirsi, facendo finta che gli si fosse incastrato un cuneo. – Non v'arrabbiate, – disse l'Uomo Selvatico, – ora vi do una mano –. E ficcò le mani nella apertura del tronco per vedere se tenendola larga si poteva spostare quel cuneo. Allora Tabagnino, con un colpo di mazza fece saltare via tutti i cunei e lo spacco del tronco si richiuse sulle mani dell'Uomo Selvatico. – Per carità, aiutatemi! – Cominciò ad urlare. – Correte a casa mia, fatevi dare da mia moglie quei due grossi cunei che abbiamo, e liberatemi.

Tabagnino corse in casa della donna, e le disse: – Presto, vostro marito vuole che mi diate quei due sacchi di quattrini che sono nel comò.

– Come faccio a darveli? – disse la donna. – Abbiamo da comprare la roba! Fosse uno, ma tutti e due!

Allora Tabagnino aperse la finestra e gridò: – Me ne deve dare uno o tutti e due?

– Tutti e due! Presto! – urlò l'Uomo Selvatico.

– Avete sentito? È anche arrabbiato, – disse Tabagnino. Prese i sacchi e scappò via.

L'Uomo Selvatico dopo molti sforzi riuscí a cavar fuori le mani dal tronco, lasciandoci un bel po' di pelle e tornò a casa gemendo. E la moglie: – Ma perché m'hai fatto dare via i due sacchi di quattrini?

Il marito avrebbe voluto sprofondare. Andò dal pappagallo e: – Che ora è?

– L'ora che il gobbo Tabagnino vi sta portando via i due sacchi di quattrini!

Ma stavolta l'Uomo Selvatico era troppo pieno di dolori per corrergli dietro e si contentò di mandargli una maledizione.

Il Re volle che Tabagnino andasse a portar via anche la cavalla che correva come il vento. – Come faccio? La stalla è chiusa a chiave e la cavalla ha tanti sonagli appesi ai finimenti! – Ma poi ci pensò su e si fece dare una lesina[1] e un sacchetto di bambagia. Con la lesina fece un buco nella parte di legno della stalla e riuscí a ficcarsi dentro; poi cominciò a dare delle punzecchia-

1. Ferro per calzolai, aguzzo e sottile, che serve per cucire il cuoio.

ture di lesina alla pancia della cavalla. La cavalla scalciava e l'Uomo Selvatico, dal letto, sentiva rumore e diceva: – Povera bestia, ha male, stasera! Non vuol star quieta!

E Tabagnino dopo un po': un'altra punzecchiatura con la lesina! L'Uomo Selvatico si stancò di sentire scalciare la cavalla; andò in stalla, la fece uscire e la legò fuori all'aperto. Poi tornò a dormire. Il gobbo che era nascosto là al buio nella stalla, tornò fuori dal buco di prima, e con la bambagia riempí i sonagli della cavalla e le fasciò gli zoccoli. Poi la slegò, montò in sella e galoppò via in silenzio. Di lí a un poco, l'Uomo Selvatico come al solito si svegliò e andò alla finestra. – Pappagallo che ora è?

– È l'ora che il gobbo Tabagnino ti porta via la cavalla!

L'Uomo Selvatico avrebbe voluto inseguirlo, ma la cavalla l'aveva Tabagnino e chi la pigliava piú?

Il Re tutto contento, disse: – Adesso voglio il pappagallo.

– Ma il pappagallo parla e grida!

– Pensaci tu.

Il gobbo si fece dare due zuppe inglesi, una piú buona dell'altra, poi confetti, biscotti e tutti i generi di dolci. Mise tutto in una sporta e andò. – Guarda, pappagallo, – gli disse piano, – guarda cos'ho per te. Sempre di questa avrai se vieni con me.

Il pappagallo mangiò la zuppa inglese e disse: – Buona!

Cosí a furia di zuppa inglese, biscottini, confetti e caramelle, Tabagnino se lo portò via con sé, e quando l'Uomo Selvatico andò alla finestra, domandò: – Pappagallo, che ora è? Dico: che ora è? Eh, mi senti? Che ora è? – Corse nel pollaio e lo trovò vuoto.

Al palazzo del Re, quando Tabagnino arrivò col pappagallo ci fu gran festa. – Adesso che hai fatto tutto questo, – disse il Re, – non ti resta che di fare l'ultima.

– Ma non c'è piú niente da prendere! – disse il gobbo.

– E come? – fece il Re, – c'è il pezzo piú grosso. Devi portarmi l'Uomo Selvatico in persona.

– Proverò, Sacra Corona. Basta che mi faccia un abito che non si veda la gobba, e che mi faccia cambiare i connotati.

Il Re chiamò i piú bravi sarti e parrucchieri e gli fece fare dei vestiti che non si riconosceva piú, e poi una parrucca bionda e due bei baffi.

Cosí truccato, il gobbo andò dall'Uomo Selvatico e lo trovò in un campo che lavorava. Lo salutò cavandosi il cappello.

– Cosa cercate?

– Sono il fabbricante di casse da morto, – disse Tabagnino, – e cerco delle assi per la cassa del gobbo Tabagnino, che è morto.

– Oh! È crepato, finalmente! – gridò l'Uomo Selvatico. – Son tanto contento che le assi ve le darò io e potete fermarvi qui a fare la cassa.

– Volentieri, – disse il gobbo. – L'unico inconveniente è che qui non posso prendere le misure del morto.

– Se non è che per questo, – disse l'Uomo Selvatico, – quel birbone era pressappoco della mia statura. Potete prendere la mia misura.

Tabagnino si mise a segare le assi e a inchiodare. Quando la cassa fu pronta, disse: – Ecco, adesso proviamo se è della grandezza giusta –. L'Uomo Selvatico ci si sdraiò dentro. – Proviamo col coperchio –. Ci mise sopra il coperchio e lo inchiodò. Poi prese la cassa e la portò dal Re.

Vennero tutti i signori dei dintorni, misero la cassa in mezzo a un prato e le diedero fuoco. Poi ci fu una gran festa, perché il Regno era stato liberato da quel mostro.

Il Re nominò Tabagnino suo segretario e sempre lo tenne in grande onore.

Lunga la fola, stretta la via
Dite la vostra che ho detto la mia.

(Bologna).

29.
Le brache del Diavolo

Un uomo aveva un figliolo che era il piú bel figliolo che si fosse mai visto. Successe che il padre s'ammalò e un giorno chiamò il figlio: – Sandrino, sento d'essere vicino a morire. Portati bene e tieni da conto quel poco che ti lascio.

Morí, ma il figlio invece di tener da conto la roba e lavorare, in meno d'un anno, a forza di far baldoria, rimase sul lastrico. Allora si presentò al Re della città per sentire se lo prendeva al suo servizio. Il Re, visto quant'era bello questo giovane, lo prese per cameriere. La Regina, quando lo vide, le piacque subito tanto, che lo volle lei per cameriere privato. Ma appena Sandrino s'accorse che la Regina s'era innamorata di lui, pensò: «Sarà meglio che tagli la corda prima che il Re se n'accorga», e si licenziò. Il Re voleva sapere perché se ne voleva andare, ma lui disse che era per affari suoi, e partí.

Andò in un'altra città, e si presentò al Re che c'era lí, per vedere se lo prendeva a servizio. Il Re, visto questo gran bel giovane, disse subito di sí, e Sandrino entrò al Palazzo. Il re aveva una figlia, che appena lo vide se ne prese una cotta da non capire piú niente. La faccenda diventò tanto seria, che Sandrino fu costretto a licenziarsi prima che succedessero dei guai. Il Re, che non sapeva nulla, gli domandò il motivo di questa decisione, e lui disse che era per affari suoi, e il re non poté dir piú nulla.

Andò a stare da un Principe, ma s'innamorò di lui sua moglie, e andò via anche di là. Girò ancora cinque o sei padroni, e sempre faceva innamorare qualche donna e gli toccava andarsene. Il povero giovane malediva la sua bellezza, e arrivò a dire che per liberarsene avrebbe dato l'anima al Diavolo. Aveva appena detto queste parole, che gli si presentò un giovane gentiluomo. – Cos'avete da lamentarvi? – gli chiese, e Sandrino gli raccontò.

– Senti, – gli disse il gentiluomo, – io ti do questo paio di brache. Bada di tenerle sempre addosso e non togliertele mai. Io verrò a riprenderle tra sette anni in punto. In questo frattempo non ti devi mai lavare neanche la faccia, non devi tagliarti mai la barba, né i capelli, né le unghie. D'altro, puoi fare tutto quello che vuoi e star contento.

Dette queste parole, sparí, e si sentí suonare mezzanotte.

Sandrino si infilò le brache e si buttò a dormire là nell'erba. Si svegliò a giorno fatto, si stropicciò gli occhi, e subito si ricordò delle brache e di quel che gli aveva detto il Diavolo. S'alza e si sente le brache pesanti, si muove e sente un tintinnio di quattrini: aveva le brache piene di monete d'oro, e piú ne tirava fuori piú ne uscivano.

Andò in una città e prese alloggio a una locanda, nella stanza piú bella che avevano. Tutto il giorno non faceva altro che tirar fuori soldi dalle brache e ammucchiarli. Ogni servizio che gli facevano dava una moneta d'oro; ogni povero che stendeva la mano, una moneta d'oro: cosí ne aveva sempre una processione alla sua porta.

Un giorno disse al cameriere: – Sai mica se c'è un palazzo da vendere? – Il cameriere gli disse che ce n'era uno proprio in faccia a quello del Re, e nessuno lo comprava perché costava troppo caro. – Fammelo avere, – disse Sandrino, – e ti darò la tua parte –. Il cameriere si diede d'attorno e gli fece comprare il palazzo.

Sandrino cominciò a farlo ammobiliare tutto a nuovo. Poi fece foderare di ferro tutte le stanze a pianterreno, e murare gli usci. Chiuso lí dentro passava le giornate a buttar fuori monete. Quando una stanza era piena passava a un'altra e cosí riempí tutte le stanze da basso. Il tempo passava, i capelli e la barba gli erano cresciuti da non farlo piú riconoscere. Le unghie poi erano lunghe come pettini per cardare la lana, tanto che ai piedi doveva portare sandali come quelli dei frati perché non gli stavano piú nelle scarpe. Su tutta la pelle gli venne una crosta spessa un dito: insomma, non pareva piú un uomo ma una bestia. Le brache per tenerle pulite le copriva di biacca[1] o di farina.

Bisogna sapere che al Re di quella città era stata intimata la guerra da un altro Re suo vicino, e lui era disperato perché non aveva quattrini per sostenerla. Un giorno chiamò l'Intendente.

– Che c'è di nuovo, Sacracorona?

– Siamo tra l'incudine e il martello, – disse il Re. – Non ho piú un soldo per far la guerra.

– Sacracorona, c'è quel signore qui vicino che ha tanti quattrini che non sa piú dove metterli. Posso andare a chiedergli se ci presta cinquanta milioni. Alla peggio ci risponderà di no.

L'Intendente si presentò a Sandrino da parte del Re, gli fece tanti complimenti e poi gli disse l'ambasciata.

– Dica pure a Sacracorona che son pronto a servirlo, – disse Sandrino, – a patto che in cambio mi dia una delle sue figlie in moglie, una qualsiasi delle tre che per me è lo stesso.

– Farò l'ambasciata, – disse l'Intendente.

1. Sostanza colorante bianca.

146

– Allora aspetto la risposta entro tre giorni, – disse
Sandrino, – se no mi tengo sciolto da ogni impegno.

Quando il Re sentí la cosa, disse: – O povero me!
Quando le mie figlie vedranno quest'uomo che sembra
una bestia, chissà cosa diranno! Dovevi almeno dirgli
che ti desse un ritratto, tanto per preparare le ragazze.

– Vado a domandarglielo, – disse l'Intendente.

Sandrino, quando seppe la richiesta del Re, chiamò
un pittore, si fece fare il ritratto e lo mandò al Re.
Quando il Re vide quella bestia, fece un passo indietro
gridando: – Possibile che una delle mie figlie voglia un
muso come questo!

Ma, tanto per tentare, fece chiamare la piú grande, e
le spiegò la cosa. La ragazza gli si rivoltò contro. – A
me, fai di queste proposte! Ma ti sembra che un uomo
cosí si possa sposare? – E gli voltò la schiena senza piú
dir parola.

Il Re si buttò giú in una poltrona nera che teneva per
le giornate sfortunate, e restò lí piú morto che vivo. Il
giorno dopo si fece coraggio, e fece chiamare la figliola
mezzana, già pronto al peggio. La ragazza venne, lui le
fece lo stesso discorso che alla prima, e le fece capire
che dalla sua risposta dipendeva la salvezza del Regno.
– Ebbene, signor padre, – disse la ragazza un po' incu-
riosita, – mi faccia vedere questo ritratto.

Il Re le porse il ritratto, lei lo prese, ma appena gli
ebbe dato un'occhiata, lo buttò lontano come avesse
preso in mano un serpente. – Signor padre! Non l'a-
vrei mai creduto capace di offrire in sposo a sua figlia
una bestia. Ora so io il bene che mi vuole! – E cosí
smaniando e lamentandosi andò via.

Il Re si disse: «E andiamo pure in rovina, basta che
non debba piú parlare di questo matrimonio con nessuna delle mie figlie. Se tanto m'hanno detto queste due,
figuriamoci cosa mi dirà la piccina, che è la piú bella».
Si sprofondò nella poltrona nera e dette ordine che per

quel giorno non aprissero a nessuno. Le figlie non lo videro venire a pranzo, ma non domandarono nemmeno cos'avesse. Solo la piccina, senza dir parola, scese e andò a trovare il padre. Cominciò a fargli cento moine, e a dirgli: – Ma perché è cosí mortificato, papino? Andiamo, s'alzi da questa poltrona, stia un po' allegro, se no mi metto a piangere anch'io.

E cominciò a pregarlo e supplicarlo di dirle quel che aveva, tanto che il Re le raccontò le cose come stavano. – Ah, sí? – disse la ragazza. – E mi mostri questo ritratto, vediamo.

Il Re aperse un cassetto e le diede il ritratto. La Zosa (cosí si chiamava la ragazza) si mise a guardarlo da tutte le parti e cominciò a dire: – Vede, signor padre? Sotto questi capelli cosí lunghi e arruffati, vede che bella fronte? La pelle è nera, questo è vero, ma se fosse lavata sarebbe tutt'un'altra cosa. Vede che belle mani, se non ci fossero quelle unghiacce? E i piedi, anche quelli! E cosí tutto il resto. Stia allegro, signor padre, me lo sposerò io.

Il Re prese la Zosa tra le sue braccia e non finiva piú di abbracciarla e baciarla. Poi chiamò l'Intendente e lo mandò a dire a quel signore che sua figlia la piú piccina era disposta a sposarlo.

Sandrino, appena lo seppe, disse: – Sta bene, siamo intesi. Dite pure a Sacracorona che può disporre di cinquanta milioni, anzi, venite pure a prenderli subito e portatevi un sacchetto da riempire anche per voi, perché voglio mostrare la mia gratitudine. Dite a Sacracorona che non pensi a dar niente alla sposa, perché voglio farle tutto io.

Quando le sorelle seppero del fidanzamento di Zosa, cominciarono a prenderla in giro, ma lei non ci badava e le lasciava cantare.

L'Intendente andò a prendere i quattrini e Sandrino gli riempí un gran sacco di quelle solite monete d'oro. – Adesso bisognerà contarle, – disse l'Intendente, – perché mi pare che ce ne sia di piú della somma pattuita.

– Fa niente, – rispose Sandrino, – un po' di piú o un po' di meno io non ci bado.

Poi mandò da tutti i gioiellieri della città a prendere quel che avevano di piú bello: orecchini, catenine, braccialetti, spille, anelli con brillanti grossi come nocciole. Dispose tutto su un vassoio d'argento e mandò quattro dei suoi camerieri a presentare i regali alla sposa.

Il Re gongolava, la figlia passava ore a provarsi i gioielli, le sorelle cominciarono a sentirsi mordere dall'invidia e dicevano: – Sarebbe meglio fosse un po' piú bello.

– A me basta che sia buono, – diceva la Zosa.

Intanto Sandrino aveva fatto chiamare i piú bravi sarti, cuffieri, calzolai, cucitori di bianco, e quelli dei nastri, e quelli delle pezze; ordinò tutto quel che ci voleva per il corredo, e disse che entro quindici giorni doveva essere pronta ogni cosa.

Si sa che coi quattrini si fa tutto, e difatti, di lí a quindici giorni, tutto fu pronto: camicie di tela tanto fina che ci si passava da una parte all'altra con un soffio, ricamate fino ai ginocchi, sottane con pezze di fiandra[1] alta un braccio, fazzoletti cosí pieni di ricami che non c'era neanche il posto per soffiarsi il naso, abiti di seta di tutti i colori, di broccato d'oro e d'argento guarnito di gemme, di velluto rosso o turchino.

La sera prima delle nozze, Sandrino si fece riempire quattro tinozze di acqua calda e fredda. Quando le tinozze furono preparate, Sandrino saltò in quella piena d'acqua piú calda, e ci stette finché la scorza di sporcizia che aveva addosso gli si fu un po' ammorbidita, poi

1. Tessuto di lino.

saltò nell'altra tinozza calda e cominciò a sfregarsi la pelle: gli venivano giú certi trucioli che pareva un falegname. Erano sette anni che non si lavava! Quando si fu tolto la piú grossa, saltò nell'altra tinozza, piena d'acqua profumata appena tiepida. E lí prese a insaponarsi e la sua bella pelle d'una volta cominciava a farsi riconoscere. Poi, saltò nell'altra tina, piena d'acqua di Colonia e d'acqua di Felsina e ci rimase un bel po' a darsi l'ultima sciacquata. – Presto il barbiere! – Venne il barbiere, lo tosò come una pecora, poi lo lavorò coi ferri per arricciare e con pomate, e alla fine gli tagliò le unghie.

La mattina dopo, quando scese di carrozza per andare a prendere la sposa, le sorelle che stavano alla finestra per vedere venire quel mostro, si videro davanti un bellissimo giovane. – Chi sarà? Sarà uno mandato dallo sposo per non mostrarsi lui in persona.

Anche la Zosa pensò che fosse un amico, e montò in carrozza. Arrivata al palazzo, disse: – E lo sposo?

Sandrino prese il suo ritratto di prima e le disse: – Guarda bene quegli occhi, guarda quella bocca. Non mi riconosci?

La Zosa dalla gioia non capiva piú niente. – Ma come mai ti eri ridotto in quello stato?

– Non chiedermi altro, – disse lo sposo.

Le sorelle, a vedere che lo sposo era lui, creparono d'invidia. E al banchetto di nozze guardavano Zosa e Sandrino che pareva se li volessero mangiare con gli occhi, e dicevano tra loro: – Daremo l'anima al Diavolo, per non vederli piú cosí felici.

Proprio quel giorno scadevano i sette anni che aveva detto il Diavolo e a mezzanotte doveva venire a riprendere le brache a Sandrino. Lo sposo, alle undici, salutò tutti gli invitati e disse che voleva restare in libertà. – Sposa mia, – disse alla Zosa quando furono soli, – tu va' pure a letto, che io verrò piú tardi –. La

Zosa si disse: «Chissà cos'ha per la testa?», ma, aiutata dalle sue donzelle, si spogliò e andò a letto.

Sandrino aveva fatto un fagotto delle brache del Diavolo, e lo aspettava. Aveva mandato a dormire tutta la servitú; era solo; e s'accorse tutt'a un tratto che aveva la pelle d'oca e il cuore in gola. Suonò la mezzanotte.

Tremò la casa. Sandrino vide il Diavolo che veniva verso di lui. Gli porse il fagotto. – Prendetevi le vostre brache! Ecco, prendetevele! – disse.

– Dovrei prendermi la tua anima, adesso, – disse il Diavolo.

Sandrino tremava.

– Ma siccome invece della tua anima me n'hai fatto trovare altre due, – proseguí il Diavolo, prenderò quelle, e a te, ti lascio in pace!

L'indomani mattina, Sandrino dormiva beato accanto alla sua sposa. Venne il Re a dar loro il buon giorno e a chiedere alla Zosa se sapeva nulla delle sue sorelle, che non s'erano piú viste. Andarono nella stanza delle sorelle e non trovarono nessuno, ma sulla tavola c'era un biglietto: *Siate maledetti! Per voi siamo dannate e ci porta via il Diavolo.*

Allora Sandrino capí chi erano le due anime che il Diavolo aveva preso invece della sua.

(Bologna).

30.
Bene come il sale

C'era una volta un Re che aveva tre figlie: una bruna, una castana e una bionda: la prima era bruttina, la seconda cosí cosí e la piú piccina era la piú buona e bella. E le due maggiori erano invidiose di lei. Quel Re aveva tre troni: uno bianco, uno rosso e uno nero. Quando era contento andava sul bianco, quando era cosí cosí sul rosso, quand'era in collera sul nero.

Un giorno andò a sedersi sul trono nero, perché era arrabbiato con le due figlie piú grandi. Esse presero a girargli intorno e a fargli moine. Gli disse la piú grande:
– Signor padre, ha riposato bene? È arrabbiato con me che la vedo sul trono nero?
– Sí, con te.
– Ma perché, signor padre?
– Perché non mi volete mica bene.
– Io? Io, signor padre, sí che le voglio bene.
– Bene come?
– Come il pane.
Il Re sbuffò un po', ma non disse piú nulla perché era tutto compiaciuto di quella risposta.

Venne la seconda. – Signor padre, ha riposato bene? Perché è sul trono nero? Non è mica in collera con me?
– Sí, con te.
– Ma perché con me, signor padre?
– Perché non mi volete mica bene.
– Ma se io le voglio cosí bene...
– Bene come?

– Come il vino.

Il Re borbottò qualcosa tra i denti, ma si vedeva che era soddisfatto.

Venne la piú piccola, tutta ridente. – O signor padre, ha riposato bene? Sul trono nero? Perché? L'ha con me, forse?

– Sí, con te, perché neanche tu mi vuoi bene.

– Ma io sí che le voglio bene.

– Bene come?

– Come il sale!

A sentire quella risposta, il Re andò su tutte le furie. – Come il sale! Come il sale! Ah sciagurata! Via dai miei occhi che non ti voglio piú vedere! – e diede ordine che la accompagnassero in un bosco e l'ammazzassero.

Sua madre la Regina, che le voleva davvero bene, quando seppe di quest'ordine del Re, si scervellò per trovare il modo di salvarla. Nella Reggia c'era un candeliere d'argento cosí grande, che Zizola – cosí si chiamava la figlia piú piccina – ci poteva star dentro, e la Regina ce la nascose. – Va' a vendere questo candeliere, – disse al suo servitore piú fidato, – e quando ti domandano cosa costa, se è povera gente di' molto, se è un gran signore di' poco e daglielo –. Abbracciò la figlia, le fece mille raccomandazioni, e mise dentro al candeliere fichi secchi, cioccolata e biscottini.

Il servitore portò il candeliere in piazza e a quelli che gli domandavano quanto costava, se non gli andavano a genio domandava uno sproposito. Finalmente passò il figlio del Re di Torralta, esaminò il candeliere da tutte le parti, poi domandò quanto costava. Il servitore gli disse una sciocchezza e il Principe fece portare il candeliere al palazzo. Lo fece mettere in sala da pranzo e tutti quelli che vennero a pranzo fecero gran meraviglie.

Alla sera il Principe andava fuori a conversazione; siccome non voleva che nessuno stesse ad aspettarlo a

cena, i servitori gli lasciavano la cena preparata e andavano a letto. Quando Zizola sentí che in sala non c'era
piú nessuno, saltò fuori dal candeliere, mangiò tutta la
cena e tornò dentro. Arriva il Principe, non trova niente da mangiare, suona tutti i campanelli e comincia a
strapazzare i servitori. Loro, a giurare che avevano lasciato la cena pronta, che doveva essersela mangiata il
cane o il gatto.

– Se succede un'altra volta, vi licenzio tutti, – disse
il Principe; si fece portare un'altra cena, mangiò e andò
a dormire.

Alla sera dopo, benché fosse tutto chiuso a chiave,
capitò lo stesso. Il Principe pareva facesse venir giú la
casa dagli strilli; ma poi disse: – Vediamo un po' domani sera.

Quando fu domani sera, cosa fece? Si nascose sotto
la tavola che era coperta fino a terra da un tappeto.
Vengono i servitori, mettono i piatti con tutte le pietanze, mandano fuori il cane e il gatto e chiudono la
porta a chiave. Sono appena usciti, che s'apre il candeliere e ne esce fuori la bella Zizola. Va a tavola e giú a
quattro palmenti. Salta fuori il Principe, la prende per
un braccio, lei cerca di scappare ma lui la trattiene. Allora la Zizola gli si butta in ginocchio davanti e gli racconta da cima a fondo la sua storia. Il Principe ne era
già innamorato cotto. La calmò, le disse: – Bene, già
d'adesso vi dico che sarete la mia sposa. Ora tornate
dentro il candeliere.

A letto, il Principe non poté chiudere occhio tutta la
notte, tant'era innamorato; e al mattino ordinò che
portassero il candeliere nella sua camera, perché era
tanto bello che lo voleva vicino la notte. E poi diede
ordine che gli portassero da mangiare in camera porzio-
ni doppie, perché aveva fame. Cosí gli portarono il caffè, e poi la colazione alla forchetta, e il pranzo, tutto
doppio. Appena gli avevano portato i vassoi, chiudeva

l'uscio a chiave, faceva uscire la sua Zizola e mangiavano insieme con gran gioia.

La Regina, che restava sola a tavola, si mise a sospirare: – Ma cos'avrà mio figlio contro di me che non scende piú a mangiare? Cosa gli avrò fatto?

Lui continuava a dire che avesse pazienza, che voleva star per conto suo; finché un bel giorno disse: – Voglio prendere moglie.

– E chi è la sposa? – fece la Regina tutta contenta.

E il Principe: – Voglio sposare il candeliere!

– Ohi, che mio figlio è diventato matto! – fece la Regina coprendosi gli occhi con le mani. Ma lui diceva sul serio. La madre cercava di fargli intendere ragione, di fargli pensare a cosa avrebbe detto la gente, ma lui duro: diede ordine di preparare il matrimonio di lí a otto giorni.

Il giorno stabilito partí dal palazzo un gran corteo di carrozze e nella prima ci stava il Principe, con a fianco il candeliere. Arrivarono alla chiesa e il Principe fece trasportare il candeliere fin davanti all'altare. Quando fu il momento giusto, aperse il candeliere e saltò fuori Zizola, vestita di broccato, con tante pietre preziose al collo e agli orecchi che risplendevano da tutte le parti. Celebrate le nozze e tornati al palazzo, raccontarono alla Regina tutta la storia. La Regina, che era una furbona, disse: – Lasciate fare a me che a questo padre gli voglio dare io una lezione.

Difatti, fecero il banchetto di nozze, e mandarono l'invito a tutti i Re dei dintorni, anche al padre di Zizola. E al padre di Zizola la Regina fece preparare un pranzo apposta, con tutti i piatti senza sale. La Regina disse agli invitati che la sposa non stava bene e non poteva venire al pranzo. Si misero a mangiare; ma quel Re aveva la minestra scipita e cominciò a brontolare tra sé: «Questo cuoco, questo cuoco, s'è dimenticato di salare la minestra», e fu obbligato a lasciarla nel piatto.

Venne la pietanza, senza sale anche quella. Il Re posò la forchetta.

– Perché non mangia, Maestà? Non le piace?

– Ma no, è buonissima, è buonissima.

– E perché non mangia?

– Mah, non mi sento tanto bene.

Provò a portarsi alla bocca una forchettata di carne, ma ruminava, ruminava senza poterla mandar giú. E allora gli venne in mente la risposta della sua figliola, che gli voleva bene come il sale, e gli prese un rimorso, un dolore, che a poco a poco ruppe in lagrime, dicendo:

– O me sciagurato, cos'ho fatto!

La Regina gli domandò cos'aveva, e lui cominciò a raccontare tutta la storia di Zizola. Allora la Regina s'alzò e mandò a chiamare la sposina. Il padre ad abbracciarla, a piangere, a domandarle come mai era là, e gli pareva di risuscitare. Mandarono a chiamare anche la madre, rinnovarono le nozze, con una festa ogni giorno, che credo siano lí ancora che ballano.

(Bologna).

Note

1. *Giovannin senza paura.*

Questa fiaba popolare – diffusa in tutta l'Italia settentrionale e centrale – si distingue dalle innumerevoli «storie di paure», a base di morti e di spiriti, per la imperturbabilità del protagonista, il quale mostra verso il soprannaturale un atteggiamento di tranquilla fermezza. Giovannino non si stupisce di nulla, non si lascia intimorire dall'ignoto; alla fine però muore di spavento nel vedere la sua ombra. Questa è una delle rare fiabe che terminano con la punizione dell'eroe.

2. *L'uomo verde d'alghe.*

Questa fiaba marinara della Riviera ligure di ponente trasferisce in un insolito scenario uno schema notissimo in tutta Europa: quello del piú piccolo dei tre fratelli che si cala nel mondo sotterraneo (il pozzo) e libera la principessa; ma poi non viene piú issato dai fratelli traditori, che lo abbandonano là da solo. Qui, invece del pozzo, c'è l'isolotto; ma il meccanismo narrativo è lo stesso.

3. *Corpo-senza-l'anima.*

Fiaba ricca di motivi tradizionali: il cavallo che aiuta a superare le prove, la gratitudine degli animali ottenuta con l'equo giudizio sulla spartizione del bottino, l'orco o mago che rivela dov'è nascosto il segreto della sua vita. In questa versione ligure, il protagonista si distingue per la sua prudenza e persino diffidenza (è uno dei pochi eroi che, appena ricevuto un dono magico, prima di crederci sente il bisogno di collaudarlo). La seconda parte della storia è un susseguirsi vertiginoso di metamorfosi, che si legano l'una all'altra come le tessere di un puzzle, fino al completamento del disegno.

4. *Il naso d'argento.*

Questa fiaba piemontese ricorda la celebre storia di *Barbablú* narrata da Perrault; qui però Barbablú è il diavolo. Le sue vittime non sono le mogli, ma ragazze che vanno a servizio nella sua casa; la stanza proibita è l'inferno. Il diavolo è un personaggio che ricorre abbastanza frequentemente nelle fiabe e leggende italiane: talvolta viene gabbato dall'eroe, talaltra stringe con lui un patto.

5. *La barba del Conte.*

Narrazione popolare raccolta a Bra (provincia di Cuneo) dallo scrittore Giovanni Arpino. Piú che una fiaba, è una leggenda locale – non anteriore all'Ottocento – ambientata a Pocapaglia, un paese situato sulle colline nei pressi di Bra. Il testo contiene elementi di natura diversa: la spiegazione di una superstizione locale (le forcine della Masca), l'interpretazione fantastica della ribellione contadina contro il feudatario, la struttura da racconto poliziesco; il tutto fiorito di divagazioni non indispensabili alla storia, di parti in versi, di immagini grottesche.

6. *La bambina venduta con le pere.*

Fiaba piemontese caratterizzata dal tema della comunione pera-ragazza, che costituisce il filo conduttore della vicenda. L'accostamento dei due termini comunica un'immagine di freschezza, che fa dimenticare la barbarie della situazione iniziale. I motivi della seconda parte, con i vari modi di superare gli ostacoli sul cammino, sono comuni ad altre fiabe popolari (vedi per es. la toscana *Prezzemolina*).

7. *Il principe che sposò una rana.*

Un'altra fiaba piemontese, bella nella sua linearità quasi geometrica. La storia della sposa-rana è diffusa in tutta Europa: si trova anche nelle raccolte dei fratelli Grimm e di Afanasjev. In altre versioni la fidanzata è una gatta oppure una scimmia (come nella fiaba toscana *Il palazzo delle scimmie*); ma in ogni caso, il giorno delle nozze, la bestia si trasforma in una bellissima fanciulla. Questa versione piemontese presenta un particolare piuttosto raro: lo strano modo di trovare la sposa tirando un sasso con la frombola.

8. *Cric e Croc.*

È la versione piemontese di una delle piú antiche e illustri storie che si conoscano. La vasta tradizione narrativa dei ladri astuti messi alla prova da un potente risale alla leggenda egizia-na del tesoro di Re Rampsinite (narrata da Erodoto nelle sue *Storie*). Molte sono le versioni letterarie; e cosí pure le versioni popolari italiane e straniere: ne troviamo una nella raccolta dei fratelli Grimm e un'altra in Afanasjev (*Il ladro*). Dalla Campa-nia ci viene una storia intitolata *Cricche, Crocche e Manico d'Uncino* che, pur essendo diversa nell'intreccio, ha in comune con questo testo piemontese i nomi dei protagonisti.

9. *Il Principe canarino.*

Fiaba torinese di patetica bellezza. La protagonista è una don-na intraprendente e appassionata, che non si lascia intimorire dalla sventura, ma vi reagisce con intelligenza e coraggio, rag-giungendo cosí i suoi scopi. L'episodio dell'albero delle Masche è comune a parecchie fiabe e leggende; e ricorda il famoso «noce di Benevento», tradizionale luogo di convegno delle streghe.

10. *Re Crin.*

È la versione piemontese della fiaba del re porco, una delle piú diffuse in Italia. La storia dello sposo che non può essere visto nelle sue vere spoglie assomiglia al racconto mitologico di Amo-re e Psiche, narrato nel II secolo d. C. da Apuleio nel libro *Le me-tamorfosi* (o *L'asino d'oro*). Il seguito della vicenda – con la ca-stagna, la noce e la nocciola da spezzare; la veglia dell'addor-mentato e la fuga finale – ripete un motivo presente anche in al-tre fiabe di tipo diverso (cfr. la calabrese *Il reuccio fatto a mano*).

11. *Il linguaggio degli animali.*

Questa leggenda mantovana riprende una vecchia tradizione europea (riportata anche dai fratelli Grimm), secondo la quale l'uomo che capisce il linguaggio degli animali è destinato a diventare papa. In altre storie si racconta che questa virtú magica giova a chi la possiede fintantoché resta segreta, e diventa invece fatale nel momento in cui viene palesata (cfr. la fiaba siciliana *Il linguaggio degli animali e la moglie curiosa*).

12. *Il contadino astrologo.*

È la versione mantovana di un'antica storia di astuzia contadina, col villano detective e l'astrologia canzonata (fatto insolito nel folclore). Il protagonista, incolto ma dotato di sottile ingegno, ricorda la figura di Bertoldo, il notissimo personaggio creato dalla fantasia dello scrittore bolognese Giulio Cesare Croce.

13. *Il paese dove non si muore mai.*

Questa leggenda veronese è una delle tante storie che narrano una temporanea vittoria dell'uomo sulla morte. Si distingue per il gusto dell'orrido e per le immagini un po' surreali: i tre vecchi e le loro condanne, le ossa per terra, il carro di scarpe sfondate, i paesaggi mutati dopo centinaia di anni, e l'estraniamento dell'uomo che ritorna al paese dopo parecchie generazioni.

14. *Le tre vecchie.*

È la versione veneziana di una fiaba che si trova anche nel *Pentamerone* (o *Lu cunto de li cunti*), la famosa raccolta di fiabe napoletane, scritta nel Seicento da Giambattista Basile. Il Basile comunicò a questa storia tutta la sua smania dell'orrido; qui invece prevale il gusto del grottesco.

15. *Il Principe granchio.*

Fiaba veneziana piuttosto rara, in una versione tutta acquatica: originale per il complicato labirinto di condutture sotterranee, il personaggio della ragazza coraggiosa e nuotatrice, la scena del concertino sugli scogli con le otto damigelle. In questo testo, in modo particolare, si coglie tutta l'eleganza e la limpidezza che caratterizzano il patrimonio fiabistico popolare veneziano.

16. *Pomo e Scorzo.*

È la versione veneziana di una fiaba che presenta motivi assai diffusi nella tradizione letteraria e popolare: il doppio concepimento da parte di una regina e d'una serva che mangiano rispettivamente una mela e la sua buccia; il giovane che raggiunge la sua bella dentro un animale di metallo; l'impietrimento dell'eroe e la successiva liberazione.

17. *Il dimezzato.*

Questa fiaba veneziana incomincia con il motivo, notissimo, del furto del prezzemolo e del figlio promesso (come nella fiaba toscana *Prezzemolina*). Il motivo del pesce che esaudisce ogni desiderio è di diffusione europea; quanto agli esseri dimezzati dotati di poteri soprannaturali, se ne incontrano in tutto il folclore mondiale.

18. *Il figlio del Re di Danimarca.*

Fiaba popolare veneziana tutta intessuta di motivi tradizionali: il re e la regina senza figli, la nascita della bambina e l'annuncio del suo destino, la segregazione della figlia per impedire che l'oracolo si avveri, la ineluttabile realizzazione dell'evento... La storia è dominata dalla figura del re bellissimo e superbo, con il volto ricoperto dai sette veli; questo personaggio – prima vagheggiato, poi raggiunto e conquistato – si trova in altre fiabe italiane (cfr. la romanesca *Il re superbo*).

19. *Il bambino nel sacco.*

Questa fiaba friulana è un tipico esempio di fiaba popolare infantile, che si caratterizza – come genere a sé – per alcuni elementi costanti: il tema pauroso, l'uso di espressioni relative agli escrementi, le filastrocche intercalate alla prosa. Qui, comun-.

que, il tono è leggero e scherzoso; neppure il personaggio della strega – di solito terribile – incute veramente paura.

20. *Quaquà! Attaccati là!*

L'antica e misteriosa fiaba della principessa che non ride mai è diffusa in tutta Europa; questa versione friulana non si distacca molto dal racconto dei fratelli Grimm, ma è piú ricca e divertente. Il protagonista qui è un tignoso; la tigna compare spesso nelle fiabe, come segno ora di fortuna ora di malvagità.

21. *La camicia dell'uomo contento.*

Novella friulana di illustre origine letteraria. Attribuita ad Alessandro Magno, era già conosciuta nell'antichità classica; fu rinarrata piú volte, nel Medioevo e in età moderna, da diversi scrittori. Questa versione popolare, veloce e ricca di dialoghi, nel finale ad effetto sottolinea implicitamente la morale: la gioia non dipende dalla ricchezza o dal potere; essa è una realizzazione personale, quindi non si può comprare né si può chiedere ad altri di procurarcela.

22. *Una notte in Paradiso.*

Questa leggenda friulana interpreta i grandi motivi medievali: la Morte, l'Aldilà, il Tempo... Il rapporto tempo-eternità suscita sgomento; ma anche le grandi trasformazioni dell'ambiente, operate dalla Storia, si colorano della sensazione di tremendo disagio che il protagonista della vicenda prova al suo rientro nel mondo dopo una notte in Paradiso.

23. *L'anello magico.*

Fiaba del Trentino che contiene diversi motivi tradizionali, tra cui l'oggetto magico che fa realizzare i desideri, e gli animali parlanti che aiutano l'eroe nelle difficoltà. Mentre di solito – nelle fiabe popolari – la morale è sottintesa e contenuta nei fatti, qui è esplicita: appare sotto forma di pensieri espressi dal protagonista e palesemente condivisi dal narratore.

24. *Il braccio di morto*.

Fiaba del Trentino, piuttosto macabra per l'ambiente in cui si svolge la prima parte della vicenda e per quei morti che, usciti dalle tombe, giocano con le ossa umane. Tra le numerose fiabe che presentano il motivo del castello incantato e della principessa da liberare, questa si distingue per i particolari fantasiosi: il naso degli stregoni, i colpi di cannone, le sedie con la spalliera voltata verso il tavolo ecc.

25. *Bella Fronte*.

Il morto riconoscente – che si trasforma in aiutante magico, per premiare l'eroe che ha dato sepoltura al suo corpo – è il tema di diverse leggende medievali. In questa storia istriana, il motivo tradizionale si è arricchito delle avventure e disavventure dell'eroe in mezzo ai Turchi. La presenza dei Turchi è molto frequente nelle narrazioni marinaresche italiane.

26. *I tre cani*.

È la versione romagnola di una fiaba diffusa in tutta Europa con molte varianti. La presenza dei tre cani – che si rivelano ben presto aiutanti magici al servizio dell'eroe – dà continuità alla narrazione, cosí ricca di colpi di scena. Tra le vicende c'è l'episodio della liberazione della principessa dal Drago: questo motivo è antichissimo e si ricollega al mito di Perseo e Andromeda.

27. *Giricoccola*.

Questa fiaba bolognese contiene diversi elementi narrativi che ricordano le storie di Cenerentola e di Biancaneve. Caratteristiche di questa versione sono l'immagine personificata della Luna che viaggia nel cielo, e il temporaneo impietrimento della protagonista.

28. *Il gobbo Tabagnino*.

È la versione bolognese di una fiaba diffusa in tutta Italia e in Europa. Essa riprende il tema di una storia del *Pentamerone* di Giambattista Basile; ma la tradizione popolare è più ricca e ingegnosa della versione letteraria, e si sbizzarrisce nel racconto particolareggiato e divertito delle astuzie per superare le prove.

29. *Le brache del Diavolo.*

È una delle tante fiabe che narrano un patto col diavolo; come se ne trovano anche nella raccolta dei fratelli Grimm e in Afanasjev. Questa versione bolognese presenta alcuni particolari curiosi: il protagonista oppresso dalla bellezza; la fuga dalle donne innamorate che intralciano i suoi rapporti di lavoro; la ripugnante descrizione della sporcizia da cui l'eroe si lascia invadere per sette anni; la presentazione stupefatta del ricchissimo corredo da sposa.

30. *Bene come il sale.*

L'inizio di questa fiaba bolognese è una «prova d'amore» richiesta da un re alle tre figlie, come nel *Re Lear*, la famosa tragedia di Shakespeare. Per il resto, la trama della fiaba assomiglia a quella del tipo *Pelle d'asino* di Perrault, in cui la ragazza fugge per sottrarsi al padre che vuole farla sua sposa. Nelle diverse versioni il travestimento può essere: una pelle di animale, una pelle di vecchia, un involucro di legno (cfr. la fiaba romanesca *Maria di Legno*) oppure un oggetto in cui la ragazza si nasconde.

Apparato didattico

Schede informative:

1. Origine e dimensione storica delle fiabe popolari
2. Un metodo per l'analisi della fiaba: le funzioni di Propp
3. Il linguaggio della fiaba

Schede di lavoro:

1. Struttura e linguaggio della fiaba, analisi del testo
2. Lettura trasversale, confronti
3. Invenzione di fiabe, giochi di trasformazione
4. Fiabe ed esperienza personale
5. La fiaba come documento di cultura popolare
6. Raccolta e trascrizione di composizioni narrative popolari
7. Attività espressive interdisciplinari

Glossario

Nota per l'insegnante

Le caratteristiche di questo libro:

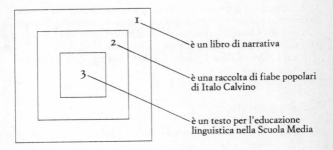

è un libro di narrativa

è una raccolta di fiabe popolari
di Italo Calvino

è un testo per l'educazione
linguistica nella Scuola Media

1. Come libro di narrativa, si propone per una lettura che abbia la sua motivazione primaria nel piacere di leggere.

2. La sua natura rende il libro accessibile ai ragazzi, che lo possono gustare in una lettura privata e individuale (in questo caso l'apparato didattico verrà tranquillamente e giustamente ignorato).

3. La sua funzione specifica, come testo per l'educazione linguistica (nell'ambito di una articolata programmazione), giustifica la presenza dell'apparato didattico in appendice. L'uso specifico corretto porta alla valorizzazione della caratteristica primaria del libro.

L'appendice didattica comprende tre schede informative e sette schede di lavoro, più un glossario. Le schede di lavoro sono organizzate per obiettivi: alcune di esse contengono esercizi graduati da svolgere in successione; altre propongono varie attività entro cui scegliere a piacere.

L'apparato didattico presuppone la programmazione dell'insegnante; ma – nello stesso tempo – è strumento di programmazione, in quanto può servire da guida per la costruzione di un progetto operativo. Tale progetto nascerà in un'area disciplinare (per il raggiungimento di obiettivi specifici di educazione linguistica); ma potrà avere anche caratteristiche interdisciplinari, sia per l'orientamento esplicito verso precisi obiettivi di tipo trasversale sia per l'attivazione di abilità relative ad altre discipline.

Le schede in appendice sono in gran parte frutto del lavoro di sperimentazione realizzato, presso la Scuola Media Rodari di Crusinallo-Omegna (Novara), dall'insegnante che ha curato questa edizione e dai professori Brunella Dell'Acqua, Bruno Fornara, Ornella Garegnani, Carlo Oltolina, Angela Savini.

Bibliografia essenziale.

I. Calvino, *Fiabe italiane*, Einaudi, Torino 1956.

J. e W. Grimm, *Fiabe*, ivi 1951.

A. N. Afanasjev, *Antiche fiabe russe*, ivi 1953.

Ch. Perrault, *I racconti di Mamma l'Oca*, ivi 1957.

H. C. Andersen, *Fiabe*, ivi 1967.

G. Basile, *Lo cunto de li cunti*, ivi 1976.

Apuleio, *Le metamorfosi* o *L'asino d'oro*, Rizzoli, Milano 1977.

Le mille e una notte, Einaudi, Torino 1948.

I. Calvino, *La tradizione popolare nelle fiabe*, in *Storia d'Italia Einaudi*, vol. V, tomo 2, ivi 1973.

V. Ja. Propp, *Le radici storiche dei racconti di fate*, ivi 1949; nuova edizione, Boringhieri, Torino 1972.

V. Ja. Propp, *Morfologia della fiaba*, Einaudi, Torino 1966.

G. Rodari, *Grammatica della fantasia*, ivi 1973.

B. Bettelheim *Il mondo incantato*, Feltrinelli, Milano 1977.

G. L. Beccaria, *Introduzione* alle *Fiabe piemontesi*, Mondadori, Milano 1982.

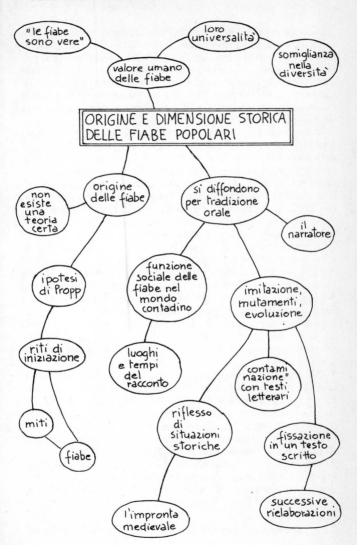

Origine e dimensione storica delle fiabe popolari.

Italo Calvino è l'autore delle *Fiabe italiane*; ma le sue fiabe esistevano già, in forma diversa, prima di lui. Egli ha rielaborato materiali preesistenti, scritti negli ultimi cento anni dai folcloristi; e questi, a loro volta, si erano documentati ascoltando e trascrivendo i racconti dalla viva voce dei narratori popolari. Calvino è quindi «un anello dell'anonima catena senza fine per cui le fiabe si tramandano»[1] e il cui inizio si perde nella notte dei tempi.

Nel momento in cui un racconto orale viene fissato nella scrittura, acquista una immutabilità che prima non aveva. Questa forma definitiva del testo non esclude successive rielaborazioni; ciò avviene, purtroppo, anche in senso peggiorativo: nel caso, per esempio, di certe scipite riduzioni delle fiabe classiche, che scrittori privi di talento producono ad uso e consumo dei bambini. La fiaba invece, nella sua ricchezza e semplicità, esige rispetto; è una manifestazione umana molto seria e di valore universale, che accompagna da sempre la storia dell'uomo ed è presente presso tutti i popoli della Terra. «Le fiabe sono vere, – scrive Calvino. – Sono, prese tutte insieme, nella loro sempre ripetuta e sempre varia casistica di vicende umane, una spiegazione generale della vita, nata in tempi remoti e serbata nel lento ruminìo delle coscienze contadine fino a noi; sono il catalogo dei destini che possono darsi a un uomo e a una donna, soprattutto per la parte di vita che appunto è il farsi d'un destino: la giovinezza, dalla nascita... al distacco dalla casa, alle prove per diventare adulto e poi maturo, per confermarsi come essere umano».

Gli studiosi hanno osservato che le fiabe di tutto il mondo si somigliano; le stesse trame fondamentali si ritrovano presso tutti i popoli, pur nella diversità dei particolari. Per spiegare questo fenomeno, si dovrebbe conoscere l'origine delle fiabe; ma – nonostante le ricerche approfondite – non si è ancora arrivati alla formulazione di una teoria certa. Secondo alcuni studiosi, fiabe uguali nascono in luoghi diversi, perché basate su meccanismi mentali e modi di vita comuni a tutti i popoli in certe fasi della loro evoluzione; secondo altri, la somiglianza è il risultato di scambi culturali tra le popolazioni. Lo studioso sovietico Vladimir Propp (1895-1970) ha cercato i rapporti tra la

1. Egli stesso si definisce cosí nell'Introduzione alle *Fiabe italiane*.

fiaba e i riti delle società primitive, e ha formulato una affascinante ipotesi, illustrata nel suo libro *Le radici storiche dei racconti di fate*.

Propp sostiene che molte delle fiabe popolari giunte fino a noi sono nate in epoca preistorica, nel momento di trapasso dalla società dei clan, fondata sulla caccia, alle prime comunità basate sull'agricoltura. Caratteristici delle primitive tribú di cacciatori erano i riti di iniziazione, a cui veniva sottoposto ogni ragazzo al sopraggiungere della pubertà, e per i quali egli diventava membro effettivo del gruppo e acquistava il diritto di contrarre matrimonio. Questi riti realizzavano in forma simbolica la morte del fanciullo e la sua rinascita come persona adulta; ed erano perciò strettamente connessi alle rappresentazioni della morte e della sopravvivenza nell'aldilà, che sono motivi religiosi antichi quanto l'uomo.

L'iniziazione veniva sempre celebrata nel folto della foresta o della boscaglia, ed era circondata dal piú profondo mistero; talvolta si costruivano per questo scopo apposite case o capanne. Il periodo dell'iniziazione era un tirocinio piú o meno lungo e severo, durante il quale i ragazzi venivano istruiti in tutte le norme del costume sociale, nelle danze e nei canti tribali, nei metodi della caccia, nei modi magici di influire sulla natura. Nell'ultima fase, i giovani – travestiti da animali o al buio, perché il rito stabiliva che nessuno li potesse vedere – avevano rapporti sessuali con una ragazza che viveva segregata con loro nella casa dell'iniziazione. Finito il tempo delle celebrazioni, i giovani tornavano alla comunità, con un nome nuovo e una nuova personalità sociale: da quel momento venivano considerati veri «uomini», cacciatori, capaci di garantire la sopravvivenza di sé e la continuità del gruppo.

Quando la rivoluzione neolitica rese possibili modi diversi di organizzazione economica, i riti di iniziazione persero la loro funzione sociale e caddero in disuso. Rimase però il loro ricordo, legato alle rappresentazioni della morte; e i racconti segreti dei rituali cominciarono a essere narrati senza piú alcun rapporto con le istituzioni in cui prima erano inseriti. Nacquero cosí i miti e le fiabe, che sono interconnessi e spesso presentano motivi in comune. I miti però, a differenza delle fiabe, si sviluppano nell'area del sacro e hanno quasi sempre un finale tragico; i loro eroi inoltre sono esseri unici e sovrumani, mentre i protagonisti delle fiabe rimangono personaggi umani alquanto tipici, pur nella straordinarietà delle loro azioni. Propp, studiando le connessioni tra riti, miti e fiabe, ha mostrato che i motivi fiabistici piú noti hanno un preciso riscontro negli antichi rituali.

L'intreccio primitivo della fiaba, in seguito, assorbí altre parti-
colarità o complicazioni, derivate dalle nuove realtà sociali che
si venivano formando.

Attraverso tutte le epoche della storia, le fiabe continuarono
la loro evoluzione, assumendo una funzione molto importante
nel mondo contadino. Esse si diffondevano per tradizione orale, in una società dove solo pochi privilegiati sapevano leggere
e scrivere. Le fiabe prendevano vita nel momento del racconto,
nel rapporto diretto che si stabilisce tra narratore e ascoltatori;
funzionavano come un rito destinato a precisi momenti di ag-
gregazione della comunità rurale: le veglie durante le serate invernali nelle stalle, i lavori di gruppo come la spogliatura del
granoturco, la tessitura, la filatura.

I folcloristi, che studiano le tradizioni popolari, dànno molta
importanza alla figura del narratore; egli è l'esecutore del racconto, e rinarra con il suo stile un materiale già narrato molte
volte da altri, portando alla forma tramandata alcune variazio-
ni. Ogni ascoltatore, a sua volta, è un potenziale futuro esecutore, che – nell'imitazione del già sentito – introdurrà altri mutamenti. Le fiabe, per secoli e millenni, sono vissute nella tradizione orale, che permette al vecchio di riplasmarsi continua-
mente nel nuovo. I mutamenti venivano introdotti dal narratore per adattare il materiale alle nuove situazioni; egli allora
aggiungeva o toglieva particolari narrativi, contaminava una
fiaba con l'altra, allacciava due o piú racconti, scomponeva e ri-
componeva i motivi in nuovi intrecci. Nell'orbita della circola-
zione folclorica talvolta venivano attratti testi letterari: novelle,
episodi di poemi classici, elementi dell'epica cavalleresca... Nel
Medioevo le fiabe europee presero il colore delle istituzioni e
dei costumi feudali; e in tale forma, fondamentalmente, sono
fissate nei testi scritti che oggi possiamo leggere.

Le fiabe quindi, se da un lato avvincono l'immaginazione per
i contenuti fantastici, d'altro lato si offrono alla nostra intelligenza come possibili oggetti di studio e di ricerca. Esse, cioè,
oltre che piacevoli narrazioni, sono documenti di cultura popolare; e come tali si possono osservare per scoprirvi il riflesso di
situazioni del passato, modi di esistenza, usanze della vita contadina..., tutti quegli elementi insomma che Calvino – con una
bella metafora – definisce «la polpa storica sul nòcciolo morfo-
logico» della fiaba.

Propp ha studiato cento fiabe popolari russe

"Morfologia della fiaba"

UN METODO PER L'ANALISI DELLA FIABA : LE FUNZIONI DI PROPP

il campo della sua indagine

la ricerca degli elementi costanti

definizione di "fiaba di magia"

le funzioni

i movimenti narrativi

i sette personaggi base

ne individua 31

successione sempre identica

elenco, definizione, segno con= venzionale

non sono tutte presenti in ogni fiaba

eventuale raddoppiamento o triplicazione

Un metodo per l'analisi della fiaba: le funzioni di Propp.

Il testo di una fiaba si può osservare da differenti punti di vista e analizzare con metodi diversi. Il sovietico Vladimir Propp – studiando cento fiabe popolari russe raccolte da Afanasjev – scoprí, sotto la ricca varietà dei testi, un numero finito di elementi costanti; propose quindi un metodo di analisi, fondato sulla ricerca di queste unità semplici che formano lo schema narrativo del testo. Il metodo è interessante, perché mette in luce i meccanismi di funzionamento della fiaba; meccanismi che si possono utilizzare anche per produrre nuove storie.

Nel suo libro *Morfologia della fiaba* (morfologia = studio delle forme), Propp definisce il campo della sua indagine: egli studia – di tutte le narrazioni popolari – quella particolare categoria che si può chiamare delle «fiabe di magia». La fiaba, osserva Propp, è un movimento, uno sviluppo narrativo, in cui si passa da situazioni negative (allontanamento, divieto, danneggiamento, mancanza, ostacolo) a funzioni che rovesciano o superano la negatività iniziale. I movimenti possono essere piú di uno; ma la conclusione, in genere, è positiva[1].

Il processo narrativo avviene attraverso la successione delle azioni che i personaggi compiono. I personaggi sono diversi per nome e per attributi; diverse sono le situazioni specifiche, gli ambienti e le motivazioni per cui essi agiscono; ma le loro azioni svolgono delle funzioni costanti e limitate. Propp individua complessivamente 31 funzioni. Esse non sono tutte presenti in ogni fiaba; tuttavia l'ordine di successione (tranne poche eccezioni) è sempre lo stesso. La serie delle funzioni costituisce lo schema narrativo della fiaba. Spesso succede che un gruppo di funzioni (o piú raramente una singola funzione) sia ripetuto nella fiaba: generalmente si tratta di un raddoppiamento o di una triplicazione.

Le funzioni ricadono su pochi personaggi base:

1) l'*antagonista*, che danneggia, perseguita, si oppone all'eroe;
2) il *donatore*, che consegna il mezzo magico;
3) l'*aiutante*, che aiuta e salva l'eroe;
4) la *persona ricercata*, per es. la «principessa»;
5) il *mandante*, che ricopre la sfera d'azione dell'invio dell'eroe;

1. Come ogni regola ha le sue eccezioni, cosí esistono alcune fiabe in cui manca il lieto fine.

6) l'*eroe*, che combatte contro l'antagonista; e può essere *eroe vittima* oppure *eroe cercatore*, se parte alla ricerca;

7) il *falso eroe*, che avanza pretese infondate nei riguardi della persona ricercata.

Diamo qui di seguito l'elenco delle 31 funzioni; esse sono individuate da una definizione e da un segno convenzionale, il quale serve per scrivere in modo sintetico lo schema di una fiaba. Non proponiamo i simboli usati da Propp[1], perché molti di essi sono difficilmente memorizzabili; quelli da noi indicati invece – se si osserva attentamente – hanno una loro logica, e quindi sono piú facili da ricordare.

i Prologo, che descrive la situazione iniziale (non è ancora una funzione).

A   Uno dei membri della famiglia si allontana da casa (definizione abbreviata di questa funzione: *Allontanamento*).

⊘   All'eroe è imposto un divieto (*Divieto*).

⊗   Il divieto è infranto (*Infrazione*).

?   L'antagonista tenta una ricognizione (*Investigazione*).

!   L'antagonista riceve informazioni sulla sua vittima (*Delazione*).

∪   L'antagonista tenta di ingannare la vittima per impadronirsi di lei o dei suoi averi (*Tranello*).

∪̣   La vittima cade nell'inganno e con ciò favorisce involontariamente il nemico (*Connivenza*).

---

1. Li riproduciamo solo a titolo informativo. Eccoli: i, e, k, q, v, w, j, y, X (oppure x), Y, W, ↑, D, E, Z, R, L, M, V, Rm, ↓, P, S, °, F, C, A, I, Sm, T, Pu, N.

Queste prime sette funzioni formano la «parte preparatoria» della fiaba; con l'ottava funzione – molto importante – comincia l'azione narrativa vera e propria.

D — L'antagonista arreca danno ad uno dei membri della famiglia; oppure ad uno dei membri della famiglia manca qualcosa o viene desiderio di qualcosa (*Danneggiamento*, *Mancanza*).

«D» — La sciagura o mancanza è resa nota; ci si rivolge all'eroe con una preghiera o un ordine, lo si manda o lo si lascia andare (*Mediazione*, *Momento di connessione*).

d — Il cercatore acconsente o si decide a reagire (*Inizio della reazione*).

→ — L'eroe abbandona la casa (*Partenza*).

P.E. — L'eroe è messo alla prova, interrogato, aggredito... come preparazione al conseguimento di un mezzo o aiutante magico (*Prima funzione del donatore*).

R.E. — L'eroe reagisce all'operato del futuro donatore (*Reazione dell'eroe*).

† — Il mezzo magico perviene in possesso dell'eroe (*Fornitura, Conseguimento del mezzo magico*).

V — L'eroe si trasferisce, è portato o condotto sul luogo in cui si trova l'oggetto delle sue ricerche (*Trasferimento*, *Viaggio*).

L — L'eroe e l'antagonista ingaggiano direttamente la lotta (*Lotta*).

M — All'eroe è impresso un marchio (*Marchiatura*).

W — L'antagonista è vinto (*Vittoria*).

D̸ — È rimossa la sciagura o la mancanza iniziale (*Rimozione della sciagura o della mancanza*).

← — L'eroe ritorna (*Ritorno*).

P	L'eroe è sottoposto a persecuzione (*Persecuzione, Inseguimento*).
S	L'eroe si salva dalla persecuzione (*Salvataggio*).
(E)	L'eroe arriva in incognito a casa o in un altro paese (*Arrivo in incognito*).
F	Il falso eroe avanza pretese infondate (*Pretese infondate*).
C	All'eroe è imposto un compito difficile (*Compito difficile*).
©	Il compito è eseguito (*Adempimento*).
E	L'eroe è riconosciuto (*Identificazione*).
Sm	Il falso eroe o l'antagonista è smascherato (*Smascheramento*).
T	L'eroe assume nuove sembianze (*Trasfigurazione*).
Pu	L'antagonista è punito (*Punizione*).
N	L'eroe si sposa e/o sale al trono (*Nozze, Lieto fine*).

Il linguaggio della fiaba.

La fiaba popolare si differenzia dagli altri testi narrativi sia per la struttura sia per l'uso specifico della lingua, che la rende riconoscibile come tale fin dalle prime parole. Essa si è plasmata nel tempo, attraverso la tradizione orale; ed è vissuta per secoli come rito narrativo ripetuto, entro il quale l'esecutore del racconto riproponeva intrecci e motivi già noti, mettendo in moto nell'ascoltatore un meccanismo di attesa di eventi prevedibili.

La fiaba segue quindi ritmi e formule prestabiliti; essa racconta dei fatti in modo attivo e dinamico: non descrive l'esperienza umana, non indugia nella rappresentazione di un mondo emotivo né suggerisce modelli di comportamento. La fiaba narra avvenimenti di pura finzione che accadono in un modo irreale; e tuttavia comunica un senso alle esperienze fondamentali della vita. Non interpreta la realtà, ma dà fiducia nell'affrontarla: presenta un mondo ordinato, in cui ogni elemento è valutato con segno positivo o negativo; in cui le prove sono superate, i compiti difficili assolti, le sciagure rimosse, i desideri appagati. La vicenda procede – tra un inizio problematico e una soluzione felice – attraverso ostacoli, avversità, fallimenti, pericoli, intralci; ma il gioco narrativo non genera ansia, perché il lieto fine è assicurato. La fiaba svolge, in modo indiretto e simbolico, una funzione di incoraggiamento alla vita; comunica quella sicurezza di fondo che è indispensabile per andare incontro alla vita senza esserne sopraffatti.

Il *C'era una volta* che costituisce l'incipit della fiaba, è una formula che introduce un tempo narrativo; esso segnala che il racconto non si riferisce a un passato piú o meno lontano, ma avviene in un tempo astorico, e quindi sempre attuale: un tempo che si svolge tutto nell'immaginazione. Anche i luoghi sono estraniati dal reale e sempre piuttosto indeterminati; i toponimi – come Parigi, Portogallo, Persia, Danimarca –, che talvolta s'incontrano nelle fiabe, sono elementi di una geografia fantastica. Ben diversamente accade nelle leggende, che narrano fatti, anche straordinari, ambientati in località precise e note al narratore: il proprio paese, le montagne vicine, la campagna, le città della propria regione.

I paesaggi, nelle fiabe, sono quasi sempre stilizzati; i luoghi vengono appena nominati: la foresta, il mare, il palazzo... Manca una descrizione particolareggiata che conferisca singolarità all'ambiente; un bosco, per esempio, è «il bosco», qualcosa di astratto, di assoluto. Fanno eccezione le versioni di certi narratori dotati di forte personalità creativa, i quali incanalano la propria fantasia (che non può esprimersi nell'intreccio) verso gli aspetti decorativi del racconto, che diventa cosí circostanziato, ricco di colori e di particolari descrittivi. Il linguaggio della fiaba invece, di solito, è povero di aggettivi. Persone, animali e cose vengono semplicemente nominati quando entrano nell'azione; talvolta al nome si accompagna un attributo, che in certi casi è fisso e ripetuto come un epiteto.

I personaggi della fiaba, piú che individui, sono tipi; non solo non vengono descritti nei loro caratteri fisici e psicologici, ma spesso non hanno neppure un nome proprio. Non sono esseri sovrumani, come gli eroi dei miti; sono personaggi comuni, però fortemente estremizzati: l'uno è l'incarnazione della bontà e della generosità, l'altro della cattiveria, della ferocia... Nelle fiabe mancano le sfumature che caratterizzano la realtà; l'opposizione è netta, sia sul piano individuale (bello-brutto, gentile-scortese) sia sul piano sociale (re-contadino). In genere il personaggio vincente è il piú debole del gruppo: il minore dei tre fratelli, il perseguitato, l'orfano; e il lieto fine si realizza attraverso la solidarietà col mondo della natura. Nella fiaba non c'è rigida separazione tra umano e non umano: gli animali parlano e aiutano l'eroe; si manifesta, come dice molto bene Calvino, «la sostanza unitaria del tutto, uomini bestie piante cose, l'infinita possibilità di metamorfosi di ciò che esiste».

Il meraviglioso diventa naturale attraverso la vicenda; e nello stesso modo si realizzano i personaggi: i sentimenti, la psicologia, i concetti astratti, tutto si esprime concretamente nell'azione. I fatti sono narrati in ordine cronologico; ma in una forma che riproduce lo schema del pensiero piú che la visione della realtà. Le situazioni, infatti, si evolvono lungo una linea prestabilita, con movimenti cadenzati e una ricorrenza regolare di figure e di motivi. La pluralità viene espressa attraverso i numeri rituali: il tre, il sette; talvolta il quattro o il due. La successione delle azioni e la loro durata sono rese con la ripetizione di sequenze, frasi, immagini: spesso si tratta di una triplicazione, la quale accentua il carattere ritmato del racconto.

Anche i dialoghi sono svolti in modo ritmico, con ripetizioni di domande e di risposte, di formule magiche. Talvolta i discorsi diretti sono in forma di filastrocca: frasi cadenzate e rimate, in cui prevalgono il ritmo e il suono, al di là del significato. Una forma rimata spesso costituisce anche la chiusa della fiaba. Può essere il tradizionale «Larga la foglia, stretta la via, | Dite la vostra che ho detto la mia»; ma piú spesso i versi finali sottolineano, non senza ironia, il contrasto tra la ricchezza del banchetto e la fame insoddisfatta del narratore. Queste formule creano uno stacco tra l'artificio della fiaba e la realtà: riportano gli ascoltatori al mondo reale, al punto di partenza; cosí da essere pronti a ricominciare con un nuovo «C'era una volta» un altro viaggio della fantasia.

Scheda di lavoro n. 1

Struttura e linguaggio della fiaba, analisi del testo.

Obiettivi:

Riconoscere i personaggi di una fiaba, la loro sfera d'azione e gli attributi; individuare gli ambienti. Dividere un testo in sequenze narrative; evidenziare la trama; fare il riassunto. Ricavare le funzioni di una fiaba; scoprire lo schema narrativo. Osservare un testo e cogliere le forme caratteristiche del linguaggio della fiaba.

Attività graduate:

1) Elencare i personaggi di una fiaba o leggenda. Riconoscere il protagonista; trovare le sue caratteristiche: quelle che il testo riferisce esplicitamente e quelle che emergono dai fatti narrati.

2) Elencare i personaggi di una fiaba. Individuare l'eroe; distinguere, tra i personaggi che entrano in rapporto con lui, quelli che gli si oppongono e quelli che lo aiutano o lo amano.

3) Elencare i personaggi di una fiaba di magia. Riconoscere l'eroe: specificare se è un eroe cercatore o un eroe vittima (vedi scheda informativa n. 2); oppure se svolge ambedue i ruoli in momenti diversi della storia.
Osservare se l'eroe deve superare delle prove o eseguire compiti difficili: indicare quali.
Individuare i mezzi che gli permettono di arrivare al lieto fine: aiutanti magici, oggetti magici, circostanze casuali, doti personali...

4) Elencare i personaggi di una fiaba di magia. Riconoscere in ciascuno di essi i personaggi base: antagonista, donatore, aiutante, persona ricercata, mandante, eroe, falso eroe (vedi scheda informativa n. 2). Tener presente le seguenti indicazioni:

   a) non necessariamente una fiaba contiene tutti i personaggi base;

185

b) un personaggio della fiaba può comprendere la sfera d'azione di due o piú personaggi base;

c) la sfera d'azione di un personaggio base può essere suddivisa tra due o piú personaggi della fiaba.

5) Elencare i personaggi di una fiaba di magia; riconoscere in ciascuno di essi i personaggi base. Trovare gli attributi di ogni personaggio: distinguere gli aggettivi, i nomi e le locuzioni riferite esplicitamente dal testo; e le caratteristiche implicite che emergono dalla narrazione dei fatti.

6) Individuare, in una fiaba o leggenda, gli ambienti in cui si svolgono i fatti narrati. Specificare se il luogo viene descritto o soltanto nominato: nel primo caso, annotare le sue caratteristiche. Elencare le azioni che si compiono in ciascun luogo.

7) Dividere una fiaba in sequenze narrative, numerandole e delimitandole con parentesi quadre tracciate a matita in margine al testo[1].

8) Dopo aver diviso una fiaba in sequenze, sintetizzare ognuna di esse con una breve frase che ne esprima l'idea centrale. Scrivere le frasi nell'ordine delle sequenze, cosí da formare una scaletta: in tal modo risulterà evidenziata la trama[2].

9) Dividere una fiaba in sequenze e ricavare le idee centrali. Comporre un riassunto, che abbia le caratteristiche di sintesi coerente e comprensibile; quindi:

a) contenga tutte le idee necessarie alla comprensione della trama;

b) esprima la connessione tra le idee;

c) sia il piú breve possibile[3].

10) Analizzare una fiaba e, sequenza per sequenza, individuare le funzioni presenti, seguendo l'elenco proposto da Propp (vedi scheda informativa n. 2). Scrivere via via a matita, in margine al testo, i segni convenzionali delle funzioni trovate.

11) Dopo aver ricavato da una fiaba le funzioni, rappresentare lo schema narrativo del testo, scrivendo uno accanto all'al-

---

1. Per la definizione di *sequenza*, vedi il Glossario.

2. Nella fiaba gli eventi sono in ordine cronologico; quindi la trama (o «fabula») coincide con l'intreccio. Per le definzioni di *trama* e *intreccio*, vedi il Glossario.

3. L'insegnante può anche dare, per ogni riassunto, l'indicazione del numero delle parole da usare: cominciando, per esempio, da 150 per poi scendere a numeri sempre piú bassi.

tro – nell'ordine del racconto – i segni convenzionali. Tener presente quanto segue:

a) alcune funzioni sono svolte in un'intera sequenza, altre in poche parole;
b) talvolta una funzione è contenuta implicitamente nel testo, tuttavia nello schema è opportuno esplicitarla;
c) in certi casi la funzione si realizza in modo negativo: per esempio, se l'antagonista tende un tranello, ma l'eroe *non* ci casca[1];
d) spesso, nelle fiabe, gruppi di funzioni sono ripetuti due o piú volte: in tal caso nello schema si riprenderà da capo la successione, incolonnando i segni convenzionali ripetuti.

Un esempio di schema (*Il bambino nel sacco*, p. 90):

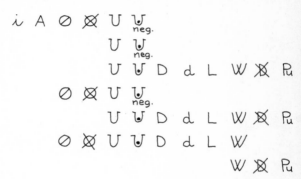

12) Trovare, nel testo di una fiaba, i discorsi diretti: indicare quali e quanti personaggi interloquiscono; notare se i dialoghi contengono formule magiche, se sono in forma ritmata e rimata; osservare se alcune domande o risposte vengono ripetute.
Fare una lettura espressiva a piú voci del testo.

13) Cercare una fiaba che contenga delle parti in forma di filastrocca: contare quante sono e di quanti versi sono composte; osservare se alcune sono ripetute; indicare da chi vengono pronunciate o cantate.
Analizzare la loro forma: la lunghezza dei versi, il ritmo, le

---

1. La funzione svolta negativamente si può rappresentare scrivendo sotto il segno convenzionale l'abbreviazione *neg.* (negativo). Esempio: ☡ₙₑₘ.

rime, i vocaboli o i suoni ripetuti, le eventuali parole senza
senso o i giochi di parole in esse contenuti.
Provare a cantare le filastrocche, improvvisando una semplice melodia.

14) Cercare le forme verbali contenute nel testo di una fiaba.
Sottolineare con tre colori diversi i verbi al passato remoto,
all'imperfetto e al presente indicativo; notare che tempo
prevale; osservare in quali casi viene usato il presente.

Scheda di lavoro n. 2

Lettura trasversale, confronti.

Obiettivi:

Trovare in un gruppo di fiabe gli elementi o i motivi comuni; elencare, suddividere, classificare. Rilevare le differenze tra due fiabe che si somigliano.

Proposte di attività:

1) Cercare ed elencare gli oggetti magici presenti in un gruppo di fiabe; trovare un criterio di classificazione.

2) Cercare ed elencare gli animali dotati di poteri magici; rilevarne gli attributi e le funzioni.

3) Indicare gli ambienti presenti in un gruppo di fiabe; trovare un criterio di classificazione (es. interni-esterni; acquatici-terrestri).

4) Osservare l'inizio di un gruppo di fiabe: scoprire gli elementi comuni, rispetto alla forma e ai contenuti.

5) Osservare, nella raccolta, i finali delle fiabe: cercare se in qualche testo manca il lieto fine; classificare i diversi tipi di lieto fine e rilevarne la frequenza.
Individuare le fiabe che terminano con una filastrocca; ricopiare questi versi finali e confrontarli tra di loro, analizzarne la forma e il significato.

6) Cercare in un gruppo di fiabe la narrazione di viaggi; specificare con quali mezzi, attraverso quali luoghi, per quale scopo...

7) Cercare ed elencare le piante, i fiori, i frutti che vengono nominati nelle fiabe; individuare quelli dotati di attributi magici.

8) Trovare, nella raccolta, le fiabe in cui si parla del sonno: distinguere il sonno naturale dal sonno magico o provocato ad arte; notare le sue caratteristiche, i cambiamenti che arreca; osservare che cosa succede durante il sonno.

9) Ricercare la presenza della notte nelle fiabe: analizzare i significati, le componenti della sua rappresentazione; trovare le azioni che si svolgono nella notte.

10) Cercare ed elencare i cibi nominati nelle fiabe: trovare un criterio di classificazione (es. cibi vegetali - cibi animali). Individuare le bevande: notare quali vengono nominate piú di frequente. I cibi e le bevande che danneggiano: indicare quale danno producono.

11) Il banchetto nelle fiabe: notare in quali momenti narrativi viene introdotto questo elemento; specificare chi organizza il banchetto, in che modo, per quali motivi...

12) Trovare, nella raccolta, le fiabe in cui è presente come ambiente un'osteria o locanda; elencare i fatti che vi succedono.

13) Confrontare una fiaba italiana di Calvino con una fiaba straniera (Grimm, Perrault, ecc.) che le assomigli. Osservare le differenze: nell'intreccio, nei personaggi, nello stile della narrazione...
Per individuare le possibilità di confronto, vedere le note alle pp. 159-66.

14) Confrontare una fiaba italiana di Calvino con una fiaba d'autore contemporaneo che sviluppi un motivo analogo. Osservare somiglianze e differenze rispetto all'intreccio, al ritmo della narrazione, ai personaggi e agli ambienti, al linguaggio, ecc.

Scheda di lavoro n. 3

Invenzione di fiabe, giochi di trasformazione.

Obiettivi:

Costruire una trama che rispetti lo schema tradizionale delle fiabe; comporre un testo narrativo che presenti la struttura e il linguaggio della fiaba. Usare le fiabe come «materia prima» per lo sviluppo del pensiero creativo.

Attività graduate per la composizione di una fiaba:

1) Trama a ricalco.

Leggere una fiaba, elencarne i personaggi e gli ambienti; analizzarla, ricavarne le funzioni, rappresentarne lo schema narrativo (vedi scheda di lavoro n. 1, esercizi 10-11). Scegliere una nuova situazione iniziale, personaggi e ambienti diversi; poi, seguendo lo schema della fiaba, inventare una nuova trama. Scrivere la trama sotto forma di scaletta (come proposto nell'esercizio 8 della scheda di lavoro n. 1).

2) Dato uno schema, inventare una trama.

Sia dato, per esempio, uno schema narrativo come questo:

$$ i \quad D \quad \text{«D»} \quad d \rightarrow \text{P.E.} \quad \text{R.E.} \quad \uparrow \quad V \quad L \quad W \quad \cancel{X} \leftarrow N $$

Scegliere la situazione iniziale, i personaggi, gli ambienti; inventare una trama. Scrivere la trama sotto forma di scaletta o di riassunto.

3) Data una trama, comporre una fiaba.

Sia data una trama di fiaba, non troppo lunga. Esempio:

– Un figlio di re a caccia, nel bosco.
– Sente un canto di donna che lo interpella; risponde con un canto.
– S'accorge che chi canta è un uccellino dalle piume d'oro; cerca di catturarlo, ma non ci riesce.
– S'inoltra nel bosco alla sua ricerca.
– Trova un palazzo, entra; vede una tavola imbandita; mangia.

– A mezzanotte sente un grido minaccioso; dalla finestra aperta entra un serpente alato che lo sfida.

– Il giovane risponde con coraggio; lo uccide.

– Si sente di nuovo il canto di donna; dalla finestra entra l'uccello dalle piume d'oro, che va a posarsi sulla spalla del principe.

– Il principe lo accarezza; l'uccello si trasforma in una bellissima principessa.

– La principessa spiega l'incantesimo di cui era vittima.

– I due s'innamorano e si sposano.

Seguendo la scaletta, comporre il testo della fiaba, usando il linguaggio appropriato (vedi scheda informativa n. 3). Controllare il ritmo del racconto; introdurre i verbi al passato, i dialoghi e le filastrocche.

4) Inventare una fiaba.

Scegliere una situazione iniziale, i personaggi, l'ambiente, le funzioni; costruire la trama. Comporre il testo della fiaba utilizzando il linguaggio adeguato; dare un titolo alla fiaba.

Giochi di trasformazione[1]:

1) Trasformare una fiaba.

Leggere una fiaba piuttosto breve; dividerla in sequenze e scrivere la scaletta delle idee centrali. Lasciando immutati la situazione iniziale e i primi passaggi, introdurre – ad un certo punto della storia – una variazione, che ne trasformi il seguito. Continuare la stesura della trama, fino ad una nuova lieta soluzione.

2) Intrecciare due fiabe.

Leggere due fiabe, dalla struttura piuttosto semplice; farne il riassunto. Costruire una nuova trama che contenga, intrecciati, i motivi e gli elementi narrativi delle due fiabe di partenza.

3) Continuare una fiaba.

Leggere una fiaba; giunti alla fine, introdurre un nuovo elemento e rimettere in moto il meccanismo narrativo, per giungere ad un altro finale. Il pezzo aggiunto deve essere coerente con il testo della fiaba e conservarne lo stile.

1. Questi giochi, e altri simili, sono stati proposti e illustrati da Gianni Rodari nel libro *Grammatica della fantasia*.

Scheda di lavoro n. 4

Fiabe ed esperienza personale.

Obiettivi:

Richiamare alla memoria i modi e i significati della fiaba nella propria infanzia. Cercare e osservare un libro di fiabe d'allora; usarlo come stimolo concreto per ricomporre sensazioni, immagini, fatti del passato. Tentativo di interpretazione del vissuto personale; confronto con le esperienze altrui.

Fasi del lavoro:

1) Conversazione in classe: La fiaba nella mia infanzia. Domande guida:
   Da piccolo hai sentito raccontare o leggere fiabe? Chi te le narrava? in quali momenti della giornata? in quali luoghi? Perché ti raccontavano le fiabe?
   Quali sensazioni o emozioni ricordi di aver provato nell'ascolto?
   Chiedevi di riascoltare piú volte la stessa fiaba? quale? perché? Quali erano le tue fiabe preferite?
   Prepàrati alla conversazione, chiedendo ai tuoi genitori e parenti i particolari che non ricordi.

2) Composizione scritta: Io e la fiaba.

3) Conversazione in classe: I libri di fiabe di quando ero bambino. Domande guida:
   Da piccolo possedevi libri di fiabe? Da chi li avevi ricevuti? in quali occasioni?
   Li leggevi da solo o te li facevi leggere? Guardavi le figure? Conservi ancora questi libri? Dove li tieni? Li hai persi o distrutti? Li hai regalati a qualcuno?

4) Cerca un libro di fiabe di quando eri bambino e portalo a scuola. Esercizio di osservazione:
   Indica il titolo, l'autore del testo, l'autore delle illustrazioni, l'editore, l'anno e il luogo di pubblicazione.
   Osserva la copertina, i caratteri di stampa, le illustrazioni; conta il numero delle pagine.

Il libro contiene una o piú fiabe? quali? Al libro è allegato un disco o una cassetta?

5) Composizione scritta: Descrivi un libro di fiabe di quando eri bambino. Sfogliandolo, ti vengono in mente dei ricordi? Racconta.

6) Indagine. Chiedi ai tuoi genitori qual è il loro parere sulle fiabe e prendi nota delle loro risposte:
È buona cosa raccontare fiabe ai bambini? perché?
Le fiabe nuocciono ai bambini? per quali motivi?

Discussione in classe: Fiabe sí, fiabe no. Confrontiamo le varie risposte dei genitori; dividiamo gli argomenti pro e contro la fiaba; sistemiamoli in una tabella. Osservazioni. E tu che cosa ne pensi?

Scheda di lavoro n. 5

La fiaba come documento di cultura popolare.

Obiettivi:

Scoprire che la fiaba popolare, pur narrando fatti irreali, conserva nel suo linguaggio riferimenti a modi di vita reali; distinguere gli usi tuttora vivi da quelli che appartengono al passato.

Proposte di attività:

1) Cercare in un gruppo di fiabe i mestieri e le professioni dell'uomo: elencare, classificare, rilevarne la frequenza. Individuare i mestieri oggi scomparsi.

2) Trovare ed elencare gli strumenti di ciascun mestiere, nominati nelle fiabe.

3) Osservare i lavori che nelle fiabe vengono attribuiti alla donna: elencarli e annotare accanto a ciascuno di essi i relativi strumenti o utensili nominati.

4) Trovare in un gruppo di fiabe i tipi di sciagure o avversità rappresentate: elencare, classificare.

5) Individuare nelle fiabe le immagini di ricchezza: analizzarle, cogliere le loro componenti.

6) Rilevare e analizzare le immagini di indigenza.

7) Cercare nelle fiabe i nomi specifici di monete e di misure (di capacità, di peso, di superficie...) Elencarli e trovare il loro significato preciso.

Scheda di lavoro n. 6

Raccolta e trascrizione di composizioni narrative popolari.

Obiettivi:

Trascrivere un testo orale, possibilmente in dialetto, dal registratore; osservare le specificità dell'uso orale della lingua, le caratteristiche del dialetto; risolvere nel modo piú semplice i problemi di trascrizione. Rielaborare in forma letteraria corretta il testo trascritto.

Fasi del lavoro:

1) Cercare nel proprio ambiente una persona anziana, che sappia raccontare fiabe o leggende, possibilmente in dialetto.

2) Invitarla in classe e registrare una narrazione. Osservare il suo modo di raccontare: il tono della voce, l'espressione del viso, i gesti...

3) Trascrivere il racconto dal registratore, parola per parola. Se esso è in dialetto, decidere in che modo rendere graficamente i suoni tipici che non esistono nella lingua italiana. (È meglio usare il minor numero di segni speciali). Accanto alla trascrizione indicare: il luogo e la data della narrazione; il nome e cognome del narratore, la sua data e luogo di nascita, la professione esercitata, la residenza attuale (specificare da quanti anni vive in questa località, se essa è diversa dal luogo di nascita).

4) Osservazioni linguistiche sul testo: notare le caratteristiche del dialetto e le specificità della lingua orale.

5) Traduzione letterale in lingua italiana.

6) Rielaborazione linguistica del testo.

7) Analisi del testo narrativo ottenuto: personaggi, ambienti, trama, struttura...

8) Se il testo è una fiaba di magia, osservare se assomiglia a un'altra fiaba conosciuta; in tal caso, confrontare le due versioni, puntualizzando le differenze.

Scheda di lavoro n. 7

Attività espressive interdisciplinari.

Obiettivi:
Interpretare il testo di una fiaba e tradurlo in altri linguaggi (suoni, immagini, movimenti...); integrare il testo scritto con altri mezzi espressivi.

Proposte di attività:

1) Illustrazione di una fiaba.
2) Sonorizzazione.
3) Drammatizzazione.
4) Audiovisivo (diapositive a colori sonorizzate).
5) Cartoni animati con figure ritagliate.

Altre attività espressive che si potrebbero organizzare nella scuola, lavorando sul testo di una fiaba: fumetto, cantastorie, burattini o marionette, ombre cinesi, ecc.

1) Illustrazione di una fiaba.

Fasi del lavoro:

– Leggere una fiaba; analizzare il testo, dividerlo in sequenze.
– Scegliere alcune sequenze da illustrare: le più significative e interessanti o quelle che suggeriscono più immediatamente un'immagine visiva. Di ognuna, individuare i personaggi, le azioni, l'ambiente.
– Progettare i personaggi, dando loro un'immagine che sia espressiva degli attributi; studiare per ciascun personaggio un abito adatto, che serva a connotarlo nella sua funzione.
– Individuare le scene da rappresentare; decidere il forma-

to, il punto di vista, lo sfondo, i gesti dei personaggi, le espressioni del viso. Fare i bozzetti.

– Decidere le dimensioni dei fogli e il mezzo tecnico da usare; fare le illustrazioni, sulla base dei bozzetti.

– Le illustrazioni possono essere completate dalle didascalie: alcune parole o una frase del testo, a cui l'immagine si riferisce.

2) Sonorizzazione di una fiaba.

Fasi del lavoro:

– Scegliere una fiaba non troppo lunga, preferibilmente ricca di dialoghi; leggere il testo, analizzarlo, dividerlo in sequenze.

– Preparare la recitazione a piú voci del testo: curare la dizione, il ritmo del parlato, il tono e l'intensità della voce, le pause, i silenzi...

– Registrare su una cassetta il testo recitato. Misurare il tempo di recitazione di ogni sequenza.

– Sequenza per sequenza, evidenziare i suoni e i rumori suggeriti dal racconto; l'atmosfera delle scene, gli stati d'animo.

– Decidere che tipo di musica, e quali suoni e rumori introdurre in ogni sequenza; con quali mezzi vocali o strumentali produrli. Comporre uno schema, diviso in sequenze, con l'indicazione delle scelte e dei tempi.

– Registrare le musiche, i suoni e i rumori su una seconda cassetta, rispettando il tempo di recitazione di ogni sequenza.

– Sovrapporre il sonoro al parlato e registrare, avendo cura di abbassare il volume dei suoni quando questi si accompagnano alle parole.

3) Drammatizzazione.

Fasi del lavoro:

– Scegliere una fiaba non troppo lunga, ricca di dialoghi e di personaggi (anche corali). Fare una lettura espressiva a piú voci del testo.

- Trasformare la fiaba in testo teatrale o copione, eliminando le parti narrative e ampliando i dialoghi.
- Dividere il testo teatrale in scene[1].
- Analizzare i personaggi; provare a immaginare come si muovono, come camminano, come parlano. Assegnare a ogni ragazzo la parte di un personaggio[2].
- Scena per scena, provare la rappresentazione: interpretare le parole del testo ricostruendo il sottotesto (azioni, pensieri, sentimenti, sensazioni implicite nel testo); trovare un giusto rapporto con lo spazio e con gli altri; cercare la credibilità del personaggio attraverso la concentrazione e l'immaginazione; attivare i linguaggi corporei (gesti, movimenti, mimica, voce...)
- Quando la rappresentazione di una scena risulta soddisfacente, annotare nel testo teatrale le indicazioni relative alla recitazione e all'organizzazione dello spazio. Curare i passaggi da una scena all'altra.
- Individuare le musiche, i suoni, i rumori da inserire nella rappresentazione.
- Preparare il materiale scenografico essenziale e i costumi (anche rudimentali).
- Rappresentare lo spettacolo in un'aula, alla presenza di un pubblico poco numeroso.

4) Audiovisivo (diapositive a colori sonorizzate).

Fasi del lavoro:

- Scegliere una fiaba che non presenti immagini troppo difficili da rappresentare con la tecnica fotografica. Leggere il testo, analizzarlo, dividerlo in sequenze.
- Suddividere ogni sequenza in inquadrature; di ognuna indicare il soggetto e il campo visivo da riprendere (campo lungo, campo medio, primo piano...)

---

1. Una scena è un'azione compiuta, una parte che può essere convenzionalmente separata nel tutto.
2. Se i personaggi della fiaba sono troppo pochi, si può far interpretare successivamente uno stesso personaggio a piú ragazzi nelle diverse scene.

- Per ogni inquadratura decidere il modo concreto di realizzazione dell'immagine: luogo, personaggi, costumi...

- Scegliere i ragazzi che interpretano i vari personaggi; cercare o costruire il materiale per la scenografia e i costumi.

- Fotografare le scene, dopo aver studiato e provato ad una ad una le inquadrature: la composizione della scena, i gesti, l'espressione del viso...

- Preparare la recitazione a piú voci del testo; registrarla su una cassetta.

- Cercare delle musiche per il commento sonoro; sovrapporre le musiche al parlato.

- Sincronizzare le diapositive con la colonna sonora.

5) Cartoni animati con figure ritagliate.

Fasi del lavoro:

- Scegliere una fiaba breve. Leggere il testo, analizzarlo, dividerlo in sequenze; individuare – per ogni sequenza – i personaggi, le azioni, l'ambiente.

- Costruire la sceneggiatura, come nell'esempio alla pagina seguente.

- Costruire lo story-board, disegnando a bozzetti la successione delle inquadrature, in modo da avere a grandi linee la rappresentazione visiva della storia. In questa fase va anche curata la caratterizzazione di ogni personaggio.

- Preparare le attrezzature per la ripresa: cinepresa Super 8 a scatto singolo, con cavetto flessibile; un trespolo a cui sospendere la cinepresa, con l'obbiettivo rivolto verso il pavimento; due lampade per illuminare il piano di ripresa.

- Dipingere gli sfondi su cartoncini della dimensione del campo di ripresa.

- Disegnare e dipingere i personaggi su cartoncino, rispettando le misure che devono avere in ogni inquadratura.

- Ritagliare i personaggi, dividendoli nelle loro parti essenziali (gambe, braccia, testa, busto...)

Esempio di sceneggiatura:

SEQUENZE	inquadratura	tempo	COLONNA VISIVA			COLONNA SONORA		
			campo visivo	sfondo	personaggi	musica	rumori	parlato
1	1	10"	campo lungo	palazzo con giardino	—	melodia di flauti	—	voce del narratore (fuori campo): «.........»
	2	15"	campo medio	giardino del palazzo	re e regina che passeggiano	—	canto di uccelli	La regina: «.........»
	3	...	...	...	...	...	...	...
	4	...	...	...				
2	1	5"	primo piano	—	viso d'un uomo (ricco mercante)	—	onde del mare, grida di gabbiani	voci di marinai
	2	...	...	...	...			

201

– Procedere alla ripresa: individuare i margini dell'inquadratura, sistemare gli sfondi e i personaggi nella situazione di partenza; procedere lentamente, scatto dopo scatto, variando la posizione dei pezzi dei personaggi ritagliati, fino al compimento dell'azione.

– A pellicola sviluppata, costruire la colonna sonora, rispettando i tempi di ogni sequenza; sovrapporla quindi alle immagini in movimento.

Glossario

Aneddoto. Breve racconto di contenuto vario, in forma arguta e piacevole.

Epica. Genere di poesia che narra e celebra le imprese di un eroe o gli eventi gloriosi di un popolo.

Favola. Breve racconto fantastico, di intento morale e didascalico, i cui protagonisti sono per lo piú animali (o esseri inanimati), che rappresentano i vizi e le virtú degli uomini.

Fiaba popolare. Racconto fantastico tramandato oralmente di generazione in generazione, prima di essere trascritto: si distingue per la presenza di elementi magici e di situazioni irreali, per la struttura narrativa che rispecchia uno schema tradizionale, per i temi e i motivi ricorrenti.

Filastrocca. Componimento poetico di varia lunghezza, dal ritmo cadenzato; con rime, assonanze e allitterazioni.

Folclore. L'insieme delle tradizioni popolari e delle loro manifestazioni (costumi, canti, danze, racconti...)

Funzione Nell'analisi del racconto, è l'azione compiuta da un personaggio. La funzione si definisce esaminando il significato che l'azione assume nello svolgimento della vicenda.

Intreccio. È la costruzione scelta dall'autore, per rappresentare gli avvenimenti di una narrazione.

Leggenda. Racconto fantastico di tradizione orale, in cui si parla di avvenimenti straordinari calati in una dimensione reale o di eventi storici trasfigurati dalla fantasia.

Mito. Composizione narrativa di carattere sacro – in prosa o in versi – che spiega l'origine del mondo, esalta i valori fondamentali di una cultura, racconta le imprese di dèi e di eroi.

Motivo. Elemento narrativo che si trova ripetuto in diverse fiabe.

Rima.   È l'uguaglianza, a partire dalla vocale accentata, della parte finale di due o piú parole (es. *sicúra-paúra*). Si trova in genere alla fine del verso, ma può ricorrere anche al suo interno. Nei casi in cui il suono non è perfettamente identico, si ha – invece della rima – *assonanza*, quando sono uguali le vocali e diverse le consonanti (es. *Nína-príma*), e *consonanza*, quando sono uguali le consonanti e diverse le vocali (es. *conténti-niénte*).

Sequenza.   È una parte compiuta del testo, caratterizzata da un contenuto unitario.

Tema.   Argomento o motivo fondamentale di un'opera.

Tradizione orale.   La trasmissione a viva voce, da una generazione all'altra, di elementi della cultura di un popolo attraverso racconti, poesie, canti...

Trama.   È l'insieme degli avvenimenti o azioni di un racconto, ricostruiti secondo l'ordine temporale e causale. Sinonimi di *trama* sono: *fabula*, *storia*.

Versione.   Uno dei tanti modi in cui può essere raccontato un fatto o sviluppato un tema narrativo.

Indice

208

Stampato presso G. Canale & C., s. p. a., Torino

I classici della fiaba nelle edizioni Einaudi

Le fiabe – scriveva Italo Calvino – sono «una spiegazione generale della vita, nata in tempi remoti e serbata nel lento ruminío delle coscienze contadine fino a noi». E Gianni Rodari cosí si esprimeva a proposito dei libri di favole: «Un percorso verso la realtà che i bambini ameranno sempre. La prima conoscenza della lingua scritta non ha ancora trovato itinerario piú ricco, piú colorato e attraente di quello d'un libro di fiabe».

Questi, idealmente, i punti di partenza da cui la casa editrice Einaudi s'è mossa, nel corso della sua attività, pubblicando i piú importanti «classici» della favolistica di tutto il mondo. Cosí, nel 1951, la collana «I millenni» diede vita a questa importante iniziativa editoriale ospitando tra i suoi titoli *Le fiabe del focolare* dei piú noti scrittori di favole di tutti i tempi: i fratelli Jacob e Wilhelm Grimm (questo volume, e la maggior parte degli altri che verranno qui citati, sono stati in seguito ristampati nella collana economica «Gli struzzi»). Nel 1953 è la volta delle *Antiche fiabe russe*, centottantacinque favole raccolte da un appassionato studioso dell'Ottocento, Aleksandr Nikolaevic Afanasjev; di questo stesso autore, nella collana «Libri per ragazzi», nel 1975 verrà pubblicato *I due Ivan e altre antiche fiabe russe*. Le *Fiabe* del celebre scrittore danese Hans Christian Andersen furono presentate nella prima traduzione italiana completa nel 1954, mentre l'anno seguente uscí un volume di stupefacenti e insolite *Fiabe africane*.

Italo Calvino, portando a termine un'impresa nel suo genere unica, nel 1956, propone la prima grande raccolta di fiabe popolari del nostro Paese col volume *Fiabe italiane*. Nel 1957 le *Fiabe francesi della Corte del Re Sole e del secolo XVIII*, offrono un suggestivo panorama della fortunata fioritura favolistica sviluppatasi in Francia tra Sei e Settecento: tra esse le famose favole di Charles Perrault, come Cenerentola, Pollicino, Il Gatto con gli stivali…, e poi quelle dei suoi contemporanei, come la contessa d'Aulnoy e altri ancora. Sempre di Perrault, nel 1974,

Einaudi pubblica *I racconti di Mamma l'Oca*, nella collana degli «Struzzi». Dalla dorata Francia del Re Sole agli incantati paesaggi della Norvegia: nel 1962 viene edita una raccolta di favole – definite a suo tempo da Jacob Grimm come «le piú belle del mondo» – a cura di Peter Christen Asbjørnsen e Jørgen Moe, le *Fiabe norvegesi*.

In questa iniziativa editoriale, tesa a dare la piú ampia panoramica possibile, non poteva certo mancare un altro dei piú famosi narratori di tutti i tempi, La Fontaine, le cui *Favole* vengono pubblicate nel 1958. Ancora favole italiane nel 1974, con le *Fiabe fantastiche. Le novelle della nonna* di Emma Parodi, mentre l'anno seguente esce *Il cacciatore di draghi* di J. R. R. Tolkien. Sempre restando nel misterioso, fantastico mondo dei folletti, nel 1981 viene rappresentata l'Irlanda con le *Fiabe irlandesi* raccolte da uno dei piú grandi poeti del nostro secolo, William Butler Yeats, e nel 1985 dal volume *Antiche storie e fiabe irlandesi*, a cura di Melita Cataldi. Nel 1984 ancora fate, streghe e folletti dal magico mondo di racconti curati dalla massima studiosa del folclore britannico, Katharine Briggs, nel volume *Fiabe popolari inglesi*. Infine ricordiamo le stupende *Mille e una notte*, uno dei primi volumi (1948) della collana dei «Millenni» e, ai nostri giorni, una raccolta di *Fiabe indiane* di prossima pubblicazione.